LE CHERCHEUR D'AFRIQUES

Henri Lopes, né en 1937 à Kinshasa, a grandi à Brazzaville, puis est venu en France pour y faire ses études. Il a 23 ans quand Malraux, porte-parole du général de Gaulle, proclame l'indépendance de son pays. De retour au Congo, il fait une carrière d'homme politique, occupant plusieurs postes de ministre et notamment, de 1973 à 1976, celui de Premier ministre. Il est depuis 1998 ambassadeur du Congo en France. Cet écrivain du métissage qui, d'un ouvrage à l'autre, célèbre l'Afrique et le difficile, mais salutaire et fécond, mariage des cultures, est l'auteur de sept romans et d'un recueil de nouvelles (*Tribaliques*, Grand Prix de la littérature d'Afrique noire, 1972). Il a obtenu le Grand Prix de la francophonie de l'Académie française en 1993.

DU MÊME AUTEUR

Sans Tam-Tam
roman
Éditions Clé, 1977

Tribaliques
Grand prix de la littérature d'Afrique noire
nouvelles
Éditions Clé, 1979
et « Pocket », n° 2178

La Nouvelle Romance
roman
Éditions Clé, 1982

Sur l'autre rive
roman
Seuil, 1992

Le Lys et le Flamboyant
roman
Seuil, 1997

Le Pleurer-rire
roman
Présence africaine, 1997

Dossier classé
roman
Seuil, 2002

Ma grand-mère bantoue et mes ancêtres
les Gaulois : simple discours
essai
Gallimard, « Continents noirs », 2003

Henri Lopes

LE CHERCHEUR D'AFRIQUES

ROMAN

Éditions du Seuil

TEXTE INTÉGRAL

ISBN 2-02-084960-7
(ISBN : 2-02-010926-3, 1re publication)

www.seuil.com

À ma mère Micheline,
à mon père Max,
à mon père Jean-Marie,
à la mémoire de ma grand-mère Joséphine Badza.

Nous sommes peu nombreux à l'écouter dans cette salle de cinéma de quartier, une poignée de fidèles en train de boire le vin d'une religion nouvelle.

Malgré mes difficultés à trouver la rue, je suis arrivé à temps.

Assis au dernier rang, dans la pénombre sous le balcon, je ne perds aucun mot. Le conférencier baigne dans un reflet de soleil blanc. C'est sa crinière rousse qui frappe d'abord. D'une voix bien timbrée, il s'exprime avec aisance. Il jette à peine un regard sur ses notes. Tel un joueur de cartes étalant sa réussite, il enlève et replace ses fiches sur la table.

Je savoure la structure de l'exposé.

Au premier rang, une femme en cardigan de laine, les yeux rivés sur ses lèvres, suit chaque mouvement de la pensée de l'orateur, anticipe d'un sourire bienveillant la moindre étincelle. Sa coiffure imite celle de Michèle Morgan. Son profil évoque un dessin de Cocteau. Un fil déroulé, tracé d'un seul mouvement, sans hésitation ni reprise, ainsi qu'une signature. À côté d'elle, une adolescente dont la queue de cheval remue dès qu'elle bouge la tête. Quand elle s'est retournée tout à l'heure, un flot de sang a envahi ma poitrine.

Détaché de son texte, l'homme aux cheveux rouges s'exprime comme on voudrait écrire. Sans hésitation ni répétition, il évolue, trouvant la nuance exacte ou le mot juste, avec la facilité et l'élégance des classiques. Je reçois les phrases de son discours comme celles d'un morceau de musique envoûtant. Il faudra que je me procure l'ouvrage de Poliakov et l'étude de l'Unesco auxquels il s'est plusieurs fois référé.

Difficile de donner un âge au conférencier. La cinquantaine, sans doute. À mon avis, quelques années de plus que Joseph. La dame au cardigan de laine et lui ont dû former un beau couple.

C'est la première fois que je les vois. Hier, alors que je me rendais, le pas décidé, vers la rencontre cruciale, j'ai brusquement été saisi d'un trac stupide et je suis rentré à l'hôtel.

De temps en temps, la jeune fille à la queue de cheval se penche à l'oreille de la dame au cardigan.

À plusieurs reprises, le conférencier s'est levé pour se diriger vers un tableau où sont agrafées de larges feuilles sur lesquelles se profile un front de gratte-ciel surmonté de chiffres qu'il commente en s'aidant d'une baguette. Ses gestes et sa démarche me sont familiers et suscitent en moi un sentiment de malaise.

C'est par hasard, en feuilletant hier un journal local, que j'ai été informé de la conférence du docteur Leclerc.

C'est la fin de l'après-midi. Sous la véranda d'une case en ciment, une jeune fille, assise sur un tabouret, chante. Entre ses cuisses, une cuvette en émail, remplie de riz dans lequel ses doigts picorent. De temps à autre elle secoue le récipient, et des charançons remontent à la surface. On dirait des crottes de souris. Elle les saisit de deux doigts et les jette négligemment sur le sol, sans perdre le fil de sa chanson. Je n'en comprends pas les paroles. Pourtant, si elle s'arrêtait, je la prierais aussitôt de reprendre. À cause de la magie de la mélodie. Lente et triste, elle m'enchante comme la douceur des doigts de ma mère caressant mes cheveux. Le cou tendu, les yeux remplis de bonheur, Olouomo s'adresse à quelqu'un que je ne vois pas. Elle se plaint visiblement. Elle monte d'un ton, se rapproche du cri, puis redescend, souriante, les yeux malicieux et rassurants. Sa voix plane un moment et poursuit son mouvement jusqu'à la hauteur du murmure. Certaines phrases sont comme tissées de mots de protestation, d'autres de colère, quelquefois d'appels à la pitié, mais l'ensemble soulage sa souffrance. J'essaie de retenir chaque note, chaque mot de la langue mystérieuse.

Olouomo est une parente. Peut-être une cousine de ma mère qu'elle appelle *yaya*, grande sœur. Elle vient du village. C'est ma grand-mère qui l'a envoyée ici, pour aider maman aux travaux du ménage et lui tenir compagnie.

La terre est rouge.

Sur le tronc d'un manguier, un margouillat fait des pompes, hoche la tête, refait des pompes et prestement grimpe dans les branches. Un jour, Olouomo a comparé la peau du margouillat à celle du Commandant. J'ai hurlé que ce n'était pas vrai. Mais cette grande bringue a insisté. J'ai alors ramassé tout ce qui traînait à portée de ma main pour la bombarder.

Je l'ai ratée et j'ai cassé un pot auquel le Commandant tenait. Quand il est rentré et qu'il s'est aperçu d'une anomalie dans l'ordonnancement des bibelots de la pièce, il a engueulé le boy. Il l'a traité de sale macaque, l'a giflé, puis lui a décoché un coup de pied dans les fesses, mais le boy l'a esquivé. Effrayé, j'ai dit la vérité.

C'est la première fessée dont je me souvienne.

En face de la maison s'étend un drap de passepalum dont les prisonniers sont venus prendre soin ce matin. Une allée de palmiers mène à la place du poste. Une autre au dispensaire, d'où des odeurs de pansements et de fioles sombres me soulèvent le cœur, chaque fois que nous passons dans les parages. La troisième allée conduit à la case de l'autre Commandant.

Hormis le cri étrange d'un oiseau dans la forêt voisine, l'espace est silencieux sur des kilomètres à la ronde et Olouomo n'a pas besoin de forcer la voix. Quand l'oiseau s'interrompt, son visage s'assombrit. C'est peut-être..., songe-t-elle, mais ne finit pas sa pensée pour ne pas provoquer le destin.

Encore assommé par la sieste, assis sur un fauteuil d'osier, je savoure la mélodie. Mon siège est la réplique en miniature de celui du Commandant. Quand je m'y installe, j'adopte le port de tête de papa. J'ai souvent entendu maman s'émerveiller de notre ressemblance.

Comme le Commandant, je ne souris pas et considère le monde alentour de toute la hauteur de ma petite taille.

Ma mère doit être en train de faire la sieste. Le Commandant exige toujours qu'elle dorme en même temps que lui. Il veille qu'il en soit de même pour moi. À cause du climat et de la bilieuse.

D'ailleurs maman a bien mérité son repos, aujourd'hui. Chaque jour, elle est la première debout. Avant le Commandant. Ce matin, elle a beaucoup pilé. Elle voulait me préparer du saca-saca à la sardine, mon plat préféré. Elle m'en a donné en cachette car le Commandant ne transige pas sur ce chapitre. Son fils ne doit pas manger *téké*.

Je pense à ma mère et me redresse, adoptant l'attitude qu'elle aime. Si elle était là, je feindrais d'ignorer son regard amusé. À voix basse, elle ferait remarquer à Olouomo ma ressemblance avec le Commandant.

Malgré son talent pédagogique et ses qualités d'orateur, je n'ai pas suivi le conférencier avec une égale attention. Sans doute la fatigue du voyage.

J'étais déjà venu une première fois à Nantes, quelques semaines auparavant. Vouragan m'avait accueilli à la gare. Indifférents aux regards provinciaux, poitrine contre poitrine, nous nous étions donné de grandes tapes dans le dos. Puis, comme deux marabouts qui se rencontrent, nous avions longuement échangé les paroles traditionnelles de politesse. Comment se portait-il ?... Et moi ?... Sa santé ?... Et la mienne ?...

De grands éclats de rire ponctuaient notre palabre. Nous laissions échapper, avec des cris de gamins, une gaieté mêlée d'émotion. Une lueur de scandale jaillissait un instant des regards surgelés des passants. Sans transition, nous passions du lingala au français, pour revenir au lingala, voire à un kikongo émaillé de français ou, quelquefois, à un kigangoulou rapiécé de lingala.

Je ne sais plus où en est le conférencier.

Des portraits d'acteurs célèbres sont accrochés aux cimaises des murs de la salle. Je pourrais mettre un nom sur chaque visage: Jean Marais, Danièle Delorme, Arletty, tous coiffés de frais. Je m'arrête plus longtemps sur le visage grêlé de Mouloudji. J'ai longtemps cru, à cause de ses lèvres et de ses cheveux, qu'il s'agissait d'un métis de chez nous.

Dès mon arrivée en France, j'ai recherché César Leclerc.

J'ai passé plusieurs heures à la poste à consulter l'annuaire téléphonique. Mais comment choisir dans cinq colonnes de Leclerc ? Apparemment pas de César, mais plusieurs Leclerc C.

Trois Leclerc Suzanne. J'ai songé avec amusement à Ngantsiala et à Ngalaha. L'un et l'autre n'ont jamais réussi à prononcer César. Ils disent Suzanne. Mais il faut être habitué aux phonèmes gangoulous pour comprendre ce glissement.

Les Leclerc sont précédés d'une demi-colonne de Leclair et de Leclaire. Ajoutez-y les Leclerc quelque chose : Leclerc-Cochet, Leclerc de Hauteclocque, Leclerc du Sablon. Quant aux Leclercq, ils occupent au moins trois colonnes. Ils sont suivis par les Leclère, puis viennent les Leclerq.

Joseph avait raison. Pire qu'une aiguille dans une botte de foin. Mais allez donc l'expliquer à Ngalaha ! Je lui ai écrit qu'il y avait en France autant de Leclerc que d'arbres dans la forêt du Mayombe. Elle m'a fait répondre par Joseph que ce n'était pas une excuse pour ne pas retrouver le nôtre ; qu'il y avait aussi beaucoup d'Itoua, d'Elenga, de Malonga ou de Samba, suivant le lieu où l'on se trouvait au pays. Et pourtant il n'y avait pas besoin d'avoir son bacca quoi-quoi-là, pour retrouver le sien à Fort-Rousset, Boundji ou Kinkala ; que ma lettre prouvait bien (ce qu'elle soupçonnait fort) que, malgré mes diplômes-là, je restais un gamin qui, sans sa mère, était incapable de se retrouver dans un pays étranger ; que...

Elle me donnait confirmation : le Commandant Suzanne Leclerc habitait Bretagne.

Un léger brouillard montait du sol. Il avait plu durant mon sommeil. Des débris de branches et quelques mangues vertes gisaient à terre. Un tapis de pétales sang recouvrait le sol de l'allée des flamboyants. Je me souvenais du tonnerre après le déjeuner. « C'est seulement le Bon Dieu qui fait rouler des citernes d'essence », m'avait rassuré maman, dès qu'elle avait lu le désarroi dans mon regard. Olouomo m'avait serré dans ses bras, puis enroulé dans un pagne sur son dos. Malgré mon âge, elle me portait encore ainsi à cette époque-là. Selon Ngalaha, j'ai longtemps aimé cette position. En sécurité, je succombais aussitôt au sommeil. À cause aussi de la berceuse d'Olouomo. Un morceau différent de celui qu'elle fredonnait en émondant le riz.

Il m'arrive quelquefois de le reconstituer à la guitare. Un jour je l'apprendrai à mon fils.

Un enfant nu était passé devant la maison, poussant d'une baguette une jante de bicyclette. Il chantait un air dont les paroles semblaient lui faire vivre une autre vie. Sa poitrine s'en gonflait, et son corps frétillait pour mieux marquer la cadence de la mélodie. Je l'ai salué d'un geste de la main, et lui ai souri. Amusé, il s'est arrêté et m'a regardé avec curiosité. Olouomo a fait signe à l'enfant de continuer son chemin. Les indigènes ne devaient pas stationner devant la case du Commandant. Pour le lui bien exprimer, elle a fait le même geste que pour chasser des mouches.

Le bout de chair qui pointait au sommet du ventre de l'enfant m'intriguait. J'ai soulevé mon tricot de corps et examiné attentivement mon petit bedon, comme disait papa quand il lui arrivait de jouer avec moi.

– Mama Olouomo, toi aussi tu as un nez ici ?

J'avais enfoncé mon index dans mon nombril.

La nounou a ri puis, brusquement sévère, s'en est prise à l'enfant à qui elle a ordonné de nouveau de s'en aller. Elle lui a même dit de « vider les lieux ».

J'ai essayé de relever la camisole d'Olouomo pour constater moi-même.

– Ohohoho ! se plaignit-elle en me repoussant.

Son nombril était-il aussi gros que celui de l'enfant ?

Je me suis avancé vers la marche de la véranda. Le petit garçon en bas m'encourageait de son sourire. Il aurait pu être un bon camarade.

– Ohohoho, mais regardez-moi l'enfant-là ! Tu veux te casser quelque chose ?

– Mama, mama !

Olouomo me bâillonnait de sa main.

– Mama, mama !

Je me débattais et frappais de mes menottes le visage d'Olouomo.

– Eh ! toi !

D'un réflexe rapide, elle me tapa sur les mains.

– Mama, mama, mama hé !

– Tais-toi, tu vas réveiller ta mère !

– Ayéhé ! Ayéhé !

Éblouie, les yeux rougis par sa sieste, pieds nus, le pagne noué sous les aisselles, ma mère déboucha sur la véranda.

– Elle m'a tahapé, elle m'a bahattu.

Amusé, l'enfant au cerceau observait la scène.

– Qu'est-ce qu'il y a ? Qu'est-ce qu'il a ?

Olouomo, contrariée, me surveillait du coin de l'œil et fit une grimace, comme si elle venait de flairer une puanteur dans l'air.

– Elle m'a bahattu !

Dans les bras de ma mère je montrai la coupable du doigt.

– L'enfant-là !

Olouomo se lança dans un débit rapide, à en perdre le souffle, à dire tout le mal que j'avais fait ; que... ; que... ; et puis que... ; ...

Elle termina par un bruit de bouche insultant.

– Tu vois, tu vois, elle m'a tchipé.

– L'enfant-là, vraiment !

Olouomo frappa de son index une joue invisible.

Ma mère soupira de soulagement et me serra dans ses bras.

Je cherchai l'enfant des yeux et le montrai du doigt. Ma mère ne comprenait pas.

– Il veut le cerceau, dit la nounou.

Ma mère tenta de m'expliquer que le jouet de l'enfant était sale et demanda à la jeune fille d'aller me chercher le mien. Olouomo revint avec un véhicule en bambou. Un poids lourd, comme il en passait une fois par semaine au poste. Les camions des frères Tréchot qui montaient vers le nord. Ils s'arrêtaient toujours au passage. À la montée, ils apportaient le courrier de Brazzaville et de Mpoto*. À la descente, le Commandant expédiait à Mpoto les sacs de café pour sa famille.

Le camion de bambou m'avait été offert par papa. Il l'avait acheté pour une pièce à un gamin presque aussi nu que celui qu'Olouomo s'évertuait à effacer de son paysage. Un enfant en guenilles à qui il avait jeté une pièce. Le Commandant possédait tant d'argent qu'il lui

* L'Europe.

arrivait de lancer des pièces dans la rue. Ça l'amusait de voir les indigènes se battre pour se les arracher.

Furieux, je repoussai le camion et manquai de le casser.

– Ehé ! regardez-moi ce petit monsieur.

– Je veux ça !

D'un doigt autoritaire, je désignai le cerceau et commençai à pousser un hurlement d'enfant gâté. Le gosse, sans se déplacer, d'un geste timide et généreux, m'offrait son jouet.

– Va-t'en ! lui répéta Olouomo, en frappant du talon par terre.

Il esquissa un mouvement de fuite, mais s'arrêta et me tendit à nouveau le cerceau.

– Eh, toi-là ! shtt.

La nounou fit un bruit de bouche qu'elle émettait habituellement pour chasser la volaille quand elle pénétrait dans le poulailler.

– Toi-là, tu ne comprends pas ? Attends un peu.

D'un index nerveux, elle menaça plusieurs fois le petit garçon.

– Attends un peu, je vais appeler le *mboulou-mboulou.*

L'enfant cracha une insulte à ma bonne.

Le docteur joue beaucoup de ses doigts. Il les a gardés peu de temps croisés au-dessous du menton. Il nous montre un problème au plafond et nous avertit de l'index. Il élève la main en forme de crabe pour mieux exprimer le poids d'un raisonnement, l'importance d'un concept qui risquerait de paraître trop abstrait. Les lunettes sont celles qui lui ont valu l'un des surnoms dont il fait état dans ses souvenirs. Ses yeux me troublent. Verts comme les miens. Ils étonnent toujours Kani qui se demande si je ne suis pas un extra-terrestre égaré chez les nègres.

Mon voisin, sans doute un retraité, ne suit plus le conférencier. Enveloppé dans son manteau et son écharpe, il s'est assoupi. Le bruit de sa respiration me gêne. J'ai failli le toucher de mon coude, puis me suis retenu en raison de son âge. Si la bouche du vieillard sent mauvais, répétait l'Oncle Ngantsiala, en tout cas pas les mots qui en sortent.

Dans sa conclusion, le conférencier rappelle un argument qu'il a utilisé plusieurs fois au cours de son exposé. Ses yeux se mettent à luire, tandis qu'il secoue l'index et gesticule comme un Africain en palabre. J'entends une phrase que j'ai lue dans *Les Temps modernes*.

Le feu sort de sa bouche, et le tison de sa parole enflamme les cerveaux et les cœurs. Maître de son souffle, la voix de baryton se fait ample et termine sur un morceau de bravoure. La dame au cardigan de laine et quelques personnes dans la salle hochent la tête à plusieurs reprises. La main droite du conférencier présente l'esprit cartésien, la tradition humaniste et celle de gauche le romantisme anglo-saxon. J'ai du mal à réprimer un sourire. Il cite de mémoire un auteur dont je n'ai pu saisir le nom. D'après la consonance, un Allemand ou un Juif, je pense.

Le docteur Leclerc n'a pas trouvé la chute qu'il aurait souhaitée. À sa place, j'aurais cité Brecht. Il est tout de même chaleureusement ovationné. Longuement.

Le vieux monsieur qui, à côté de moi, s'était endormi se lève et applaudit, tel un gentilhomme à la fin d'un opéra, le regard planté dans celui du conférencier lequel, rougissant légèrement, range ses papiers avec soin, avant d'enlever le lourd bouchon de cristal de la carafe d'eau dont il n'a pas fait usage.

Le dessin de Cocteau et la fille à la queue de cheval lui sourient. Le docteur Leclerc leur répond par un autre sourire et un discret battement des paupières. Relevant le cou, il plonge à nouveau le regard dans le public, balaie le parterre et s'arrête sur moi. On dirait que son sourire s'est alors figé.

Lorsque, dans la gare, la locomotive se mit à souffler de plus en plus lentement, émettant d'épais cumulus blancs, lorsque les essieux frottant contre les rails poussèrent un hurlement aigu, mon cœur se serra. C'était la première fois que je venais à Nantes. Des voyageurs avaient bondi sur le quai avant même l'arrêt du train et se pressaient comme des habitués de métro qui parcourent mécaniquement un trajet familier et se hâtent d'arriver chez eux. D'autres se jetaient dans les bras de parents venus les accueillir et leur narraient le détail de leur aventure. Moi, je ne connaissais personne.

Mais mon sentiment d'angoisse fut de courte durée. Vouragan m'avait cueilli, juste au moment où j'allais emprunter le passage souterrain.

J'avais dû me faire violence pour honorer son invitation et voici qu'à peine les premiers mots échangés tout me paraissait simple. Il y avait longtemps que je n'avais plus parlé lingala. Il fallait, bien sûr, s'extraire d'un profond engourdissement, se délier la langue, se nettoyer le cerveau, mais, au fur et à mesure que les voyelles chantaient et que je retrouvais l'intonation originelle, les souvenirs de notre commune adolescence se réveillaient.

À l'aide d'une corde élastique à crochets, Vouragan avait fixé ma valise sur le porte-bagages d'un Vespa que nous avons enfourché. L'air était clair et plus doux que celui que j'avais respiré le matin à Chartres. Les pavés étaient durs et, à chaque secousse, je resserrais mon étreinte autour de la taille de Vouragan. Dans un éclat de rire, il m'a traité de trouillard et, au lieu de ralentir, il a remis les gaz, frôlant les voitures et les tramways.

Au feu rouge, il a déclaré que ce temps était inhabituel. Sans doute pour m'honorer, a-t-il ajouté avec ivresse. Il a souhaité que cela durât pour la mi-carême.

Je n'ai pas compris pourquoi il avait fait cette référence au calendrier religieux. Mais peut-être ne l'avais-je pas bien saisi à cause du vacarme de son engin.

Tandis qu'il poussait le moteur du Vespa en se faufilant entre les véhicules, évitant les rails avec des battements d'aile d'avion, je découvrais des morceaux de la ville.

C'est le château fort qui m'a d'abord frappé. Depuis mon arrivée en France, je n'avais pas eu l'occasion d'en admirer un seul. Celui-là ressemblait au dessin à la plume du Petit Larousse que je feuilletais comme un magazine dans des moments d'oisiveté, à Brazzaville.

Les passants devaient trouver comique et pitoyable ce passager qui, brinquebalé sans ménagements, ceinturait son conducteur d'une main et retenait sa valise de l'autre.

Le château fort me faisait faire un saut en arrière dans le temps. Je me revoyais attentif au récit de l'instituteur qui nous décrivait le Moyen Âge tel qu'il faudrait le réciter au prochain cours. Il prenait les inflexions de voix du griot, et nous nous demandions s'il transmettait des souvenirs tirés de sa propre vie. Tandis que le Vespa poursuivait sa randonnée, évitant les rails des tramways, les murs épais, le donjon, le pont-levis et le fossé aperçus dans un éclair continuaient à m'enchanter.

Les immeubles étaient gris et recouverts par endroits d'une poussière noire qui s'était incrustée dans la pierre.

Dans une rue en pente que le Vespa s'est mis à grimper en poussant une longue plainte, Vouragan a lâché le guidon de son engin pour me demander de jeter un coup d'œil sur la droite.

– Les bombardements !...

Des immeubles éventrés et des amoncellements de gravats offraient un paysage de décombres semblable à ceux des photos de *L'Illustration* où j'avais suivi l'épopée de la division Leclerc.

– Les Américains...

Le reste de la phrase de Vouragan s'est perdue dans le vent qui nous avait croisés. Nous avons abordé un quartier de maisons individuelles où les rues étaient bordées d'arbres et les passants devenaient plus rares. Le silence et le calme qui y régnaient étaient encore plus tristes que ceux des quartiers du Plateau et de Kalina. Vouragan a quitté l'avenue que nous suivions depuis la place Graslin, a tourné deux fois à droite, puis sans doute une fois à gauche avant de s'arrêter devant une maison de briques sales et au toit d'ardoise. Pardessus la muraille recouverte de mousse verdâtre, un arbre étendait des bras maigrelets.

– Fais comme moi, l'homme.

Vouragan avait posé les pieds sur deux patins de feutre et s'était mis à skier sur le parquet du couloir. J'avais peur que le poids de ma valise qu'il ne voulait pas lâcher ne le déséquilibrât et que ce fût la catastrophe. Une dame de petite taille, aux cheveux blancs et jaunes, le visage fripé, les joues couperosées et un châle sur les épaules, avait entrouvert la porte et répondu à mon salut avec méfiance. Vouragan avait fait un geste de présentation cérémonieux.

– Madame...

Suivait un nom que je n'avais pas compris. La victime de Raskolnikov devait avoir cet air ombrageux.

– Mon frère, avait-il ajouté, en faisant le même geste dans ma direction.

– Un autre ! avait-elle grommelé d'un ton sarcastique.
– Nous sommes une très grande famille, madame Chantreau.

C'est alors seulement que j'ai noté son nom.

– Je sais, je sais. La polygamie !

– Celui-là, c'est même-père-même-mère.

Plusieurs portes donnaient sur le couloir avec, sur certaines, une carte de visite fixée par une punaise. Tandis que la dame continuait à exprimer sa mauvaise humeur dans un débit de torrent, Vouragan m'introduisait dans ses appartements.

– Qu'est-ce que c'est que ce *dongolo miso* ?

– Oh ! pas bien méchante. Ma logeuse... Un peu curieuse, c'est tout. Elle ne comprend pas que tous les nègres qui défilent ici soient mes frères.

– Surtout qu'elle doit me prendre pour un Arabe !

– Tu sais, moins blanc qu'eux, c'est toujours nègre.

J'évaluais la chambre. Bien plus vaste que la mienne à Chartres.

– Tu te demandes où tu vas dormir ?

– Non, j'admire l'espace, l'ordre et le goût.

Il venait d'emménager depuis peu. Il avait pu se procurer « cette affaire » grâce à l'aide de sa marraine.

– C'est une personne assez difficile. Elle n'en pouvait plus de savoir son filleul dans une chambre de bonne. Elle pousse la bonté jusqu'à me payer une femme de chambre qui passe trois fois par semaine.

Et tandis que nous poursuivions nos plaisanteries, utilisant indifféremment le kigangoulou, le lingala, le kikongo et le français, il posa avec précaution un microsillon sur le plateau de son électrophone, et j'entendis les notes bleues du Modern Jazz Quartet. Une goutte d'eau dissipée qui joue à la marelle ou au dzango, sautillant d'une surface cristalline à une autre et qui s'échappe dès qu'on tente de la saisir.

J'ai retrouvé à Paris, dans les archives du ministère de la France d'Outre-Mer, le récit que le médecin militaire César Leclerc publia aux éditions Firmin-Didot, en 1933. Un ouvrage de deux cents pages, doré sur tranche, orné de cinq portraits, dont celui de l'auteur, et de trois cartes. Dans un dessin à la plume exécuté avec soin, l'auteur esquisse un sourire où se mêlent condescendance, malice et esprit. Le pince-nez, aujourd'hui totalement démodé, ne réussit pas à affaiblir l'énergie que dégage un visage taillé dans la pierre. La force du menton qu'une vallée divise en deux, la taille du cou, une abondante moustache en chevron et la coupe de cheveux rase, semblable à celle des jeunes conscrits, renforcent cette impression. Bien que le dessinateur se soit arrêté au buste, on imagine les paquets de muscles sur la poitrine et les bras.

Selon l'avant-propos, le médecin militaire César Leclerc aurait également publié deux études, l'une sur *La Trypanosomiase chez les Batékés du Moyen-Congo*, l'autre (en collaboration avec un certain Belcour) sur les *Mythes et Croyances des indigènes de la région de l'Alima*. Je n'ai pas pu les retrouver.

La lecture de Leclerc m'a troublé.

Ses comparaisons entre notre côte et ce qu'il a découvert sur son trajet depuis Dakar en passant par le Gabon sont à l'avantage de notre pays. Il n'hésite pas à faire des rapprochements avec la France. Contrairement à la tendance de l'époque, notamment à celle alors en vogue dans le milieu colonial, il vante le climat et, pour évoquer la nature, pose sur le tableau des touches rousseauistes. Si ses formules sur la « doulce France » ou la « brise du large, chargée de molécules fraîches et salines » font sourire, le détail sur les « gorges rougeâtres du Quilou » est bien senti. Il s'agit, bien sûr, de celles de Diosso au nord de Pointe-Noire. Il convient aussi de faire la part de la rhétorique démodée qui accompagne la description du Mayombe. Mais n'avons-nous pas, nous-mêmes, notre anthologie de légendes et d'histoires fantastiques à propos de cette jungle ? César Leclerc se propose aussitôt après de restituer à la réalité sa véritable dimension :

> *« Eh bien ! j'y suis allé, dans ce Mayomba ! J'ai gravi les pentes assez raides de ses montagnes ; je me suis hardiment enfoncé dans ses sinuosités boisées ; j'ai traversé les nombreux cours d'eau qui le sillonnent et qui, je dois le dire, sont de la plus grande ressource ; pendant quatre nuits, j'ai dormi au milieu des bois, entouré des grands feux rouges de mes porteurs, entendant bien souvent le cri guttural du babouin velu ; et, chaque matin, je me suis réveillé avec la douce satisfaction de constater que je n'étais pas le moins du monde entamé. On n'y voit pas toujours le soleil au Mayomba, c'est vrai ; mais, comme compensation, on n'y souffre pas de la chaleur, la fatigue est bien moindre ; les torrents sont nombreux ; les cours d'eau rapides, rien de plus exact ; mais l'eau n'en est que meilleure, et l'on est sûr d'en avoir toujours sous la main. Il existe aussi, dans ces parages, une liane rougeâtre qu'il suffit de trancher aux deux extrémités pour obtenir un liquide rafraîchissant. En plaine, mes hommes se désaltéraient en suçant la tige de ce vulgaire roseau, connu dans le pays sous le nom de moukouesso. J'y ai goûté et, comme mes hommes, j'ai trouvé fort agréable sa saveur acidulée... »*

Le lendemain de mon arrivée, lors de mon premier séjour à Nantes, Vouragan avait une séance d'entraînement à laquelle il m'a convié.

Nous avions, dans nos années de potaches, joué ensemble dans l'Étoile du Congo. Mais il y avait trop longtemps que je n'avais pas touché un ballon et, surtout, il aurait fallu, pour l'accompagner, me lever tôt.

Le soir de mon arrivée, il m'avait emmené dîner au restaurant universitaire (il disait le RU) au haut du passage Pommeraye, puis nous avions été voir, au Katorza, un film de Cayatte dans lequel Mouloudji jouait le rôle d'un personnage émouvant. À la sortie, il m'avait entraîné au *Molière*, un café peuplé d'étudiants, puis dans un second, *Le Pot-au-lait*, rue de l'Arche-Sèche, où des étudiants africains évoluaient en habitués. Quand nous étions sortis, nous avions grimpé la rue Crébillon, puis tourné à gauche. Il voulait m'entraîner dans une boîte qui se trouve dans le haut de la rue Jean-Jacques. Il insistait en m'assurant que l'orchestre y jouait surtout du jazz, des cha-cha-cha et des morceaux afro-cubains, parce que la majeure partie de la clientèle était formée de nègres nantais.

Vouragan se proposait de téléphoner à quelques copines qui, selon lui, seraient ravies de nous servir de cavalières. J'ai eu peur de trahir Kani. J'ai invoqué les fatigues du voyage pour me défiler.

Finalement, c'était aussi pour Vouragan la solution la plus saine. Il devait être d'attaque le lendemain sur la pelouse du stade.

Avant de sortir, il m'avait expliqué avec des recommandations de maniaque le fonctionnement de son tourne-disque.

Un Dual stéréo dont la bakélite n'avait pas encore perdu son odeur de jouet neuf. D'une audition parfaite ! Les notes du piano de Fats Waller me parvenaient distillées, sans aspérités, et la trompette d'Armstrong retentissait, éclatante, sous des voûtes spacieuses. Je me suis mis à danser devant la glace. Une-deux-trois, une-deux. Ouais, fallait me voir « boper », comme dit Vouragan. Une-deux-trois, une-deux. Au pas et à la mode de *La Huchette*. Si d'aventure les nègres nantais m'entraînaient à danser durant mon séjour, ils allaient voir !

Une-deux-trois, une-deux, s'il vous plaît !

Dans les tiroirs de la commode étaient empilées suffisamment de chemises pour orner une vitrine de magasin. Des blanches, des bleues, des rayées, style Cinquième Avenue au col soigneusement glacé. Mesquin, je comptais les paires de chaussures. Plus d'une par jour de la semaine : mocassins noirs, marron, vernis, richelieus à boucle, Weston à doubles ou triples semelles, toutes astiquées avec soin. La garde-robe était d'un chic égal. Une penderie de costumes, tous dans les tons bleus ou gris. Il suffisait de regarder à hauteur de la poche intérieure de chaque veste pour y voir la griffe de Blima ou celle de Guy Taylor, les deux grands tailleurs des nègres de France.

Étendu sur le dos, je contemplais en rêvassant la fumée de ma cigarette monter en volutes capricieuses. La voix qui chantait me proposait un voyage en pays de crépuscule tiède. J'imaginais la mer et les coraux, une brise de fin de journée, apaisante comme celle qui souffle le soir sur les bords de ma Nkéni. Une voix de femme, à qui je prêtais les traits des jeunes mulâtresses aperçues à Brazzaville, du côté du pensionnat Javouhey, roucoulait en adoucissant les *r* et en arrondissant toutes les arêtes de la langue française.

Je me levai, une main sur le nombril, l'autre enserrant une cavalière imaginaire. Je fermais les yeux, les rouvrais en regardant le ciel, et poussais le soupir du délice. C'est ça la biguine, non ? Je sais qu'avec ce teint de bois, on me prendrait, dans ces îles, pour un fils du pays. Je frappais dans mes mains, lâchais ma cavalière et me mettais à déployer ma virtuosité des jours de grandes compétitions !

Voyez, voyez le nègre Congo, monsieur ! Craignez le bougre-là, craignez-le, même !

Aïe, lagué moin, lagué moin...

Coups de reins, coups de reins stylés, comme si quelque zombie avait pris soin de verser dans mon biberon les doses de punch requises !

Dé makoumés lévés en pyjama
Dé makoumés lévés en pyjama...

Qui avait fait découvrir ce disque au frère ? Une anthologie du cœur ! Chansons aimées de l'enfance, entendues, à Brazza, aux temps où nous nous mêlions aux *nguembos*, sur les manguiers penchés en parasol au-dessus des dancings à ciel ouvert. Chansons qui nous sont des ritournelles familières, au même titre que celles de Tata Paul et d'Antoine Moudanda. D'autres que je ne connaissais pas et qui correspondent à mes fibres. Il y a dans la musique de ces terres un rythme, et une manière de dire l'amour-piment, de se moquer d'autrui, de pleurer et de crier la joie, où je me trouve en pays de connaissance. Pas besoin d'interprète. Fermez les yeux, seulement. Sentez le coup de hanche.

Olouomo, sur la véranda, chantait en pilant. Elle ne m'avait pas vu me glisser dans la pièce arrière. Je lorgnais le régime de fruits mûrs accroché à la poutre. Des petites bananes, de la taille d'un pouce. Les plus sucrées. Un jour je m'en suis tellement régalé que j'ai souffert de coliques.

Mais comment les atteindre là-haut ?

La veille, en attachant le régime, ma mère m'avait dit en me menaçant du doigt :

– Eh toi, petit monsieur-là, n'oublie surtout pas d'aller en voler.

À côté des fruits, la fontaine à filtrer l'eau. Un cylindre blanc avec à la base un robinet minuscule. Quand on le dévissait, je disais que l'appareil faisait pipi. La première fois que le Commandant avait entendu cette réflexion, il avait éclaté de rire et m'avait pris dans ses bras avec fierté.

Comme un chat à l'affût, j'étudiais l'itinéraire. En escaladant la chaise, je pourrais grimper sur le meuble et, en m'appuyant contre le filtre, arracher une banane parmi les plus mûres. Juste une. Personne ne s'en apercevrait.

Je ne sais plus la suite.

Mais on a tant de fois commenté l'événement que je peux reconstituer la scène.

J'ai dû glisser, et toute la famille est accourue en même temps, répondant à mes cris. Olouomo fut la première à me porter secours. Ma mère m'a pris dans ses bras et a appelé à l'aide. On lui avait tué son fils. On le lui avait tué, hé ! On eût dit une chanson rituelle au rythme des sanglots. Le Commandant est intervenu sans un mot : il m'a arraché des bras de ma mère et a élevé la voix. Ngalaha a hurlé de plus belle. Gronder un enfant ! Gronder un enfant qui s'est fait mal !...

Le Commandant lui a jeté un regard noir et m'a emporté en direction du dispensaire.

Les odeurs de médicaments sont insupportables. Surtout celles-ci. On eût dit les médicaments de la douleur et de la mort. J'en hurlais plus fort encore.

Quand j'ai repris conscience, j'apercevais au travers de ma moustiquaire les ombres chinoises des grandes personnes qui murmuraient autour de moi. Elles parlaient de points de *soudure*. On avait dû me *souder* la peau.

Aujourd'hui encore, j'en porte la cicatrice sur l'épaule gauche.

Le saxo de Charlie Parker avait lancé dans la pièce un serpentin musical, glissant, filant, tournoyant à vive allure pour repartir, insaisissable, dans une spirale de fusée. Non, Vouragan n'en rajoutait pas. Son Dual stéréo, dernier modèle, vous transportait dans les espaces d'une salle de concert. Une musique de perles miroitantes, pures comme une eau de roche, une onde azurée sur laquelle le soleil lançait ses étoiles d'argent.

– Ouais, l'homme, ouais. Sens ça !

Vouragan affirme que telle est la nouvelle voie du jazz, celle qui touche à l'essence de la mélodie, qui prouve la subtilité de la race. Peut-être !

Moi, je n'ai pas atteint cette page. Ce feu d'artifice, trop élaboré, me donne le vertige. Sans le rythme du tam-tam de La Nouvelle-Orléans, je ressemble à un canard s'essayant à la rumba. Sans lui, mon pas ne sent pas le sol et perd le sens de l'équilibre. Peut-être faut-il, pour pénétrer dans cet univers-là, déguster cette musique, dans un fauteuil, sans bouger, comme pour une symphonie ?

J'ai levé le bras du tourne-disque, attentif à bien suivre les recommandations de son propriétaire. C'était, je l'ai déjà dit, un Dual du dernier modèle, offert par la marraine. Celui-là même que je projetais de m'offrir, ce que je repoussais de mois en mois. Les disques étaient soigneusement rangés à la verticale, comme une collection d'ouvrages anciens. De lourds soixante-dix-huit tours, mais aussi de nombreux microsillons, comme on en fabrique de plus en plus.

Je passais en revue la collection. Des rumbas afro-cubaines (ou, pour parler comme au pays, des GVs), des biguines antillaises, et tous les grands noms du jazz. Certains m'étaient totalement inconnus. Vouragan, lui, aurait pu discourir des heures sur chacun. Parmi les disques Ngoma, dont les pochettes avaient conservé des taches, provenant sans doute de la graisse des *mikatés* de Ouenzé ou de la bière des dancings de Léo, je reconnus ceux que je lui avais rapportés de mes vacances au pays. Un Kabasalé et le dernier succès de Toro.

Je répétais en chœur le créole de la Louisiane scandé par Kid Ory, conscient que ce que j'entendais et reprenais sans comprendre n'était pas toujours les paroles de la chanson. M'eût-on corrigé que j'eusse persisté dans les miennes. Un peu comme cette prière, où longtemps je me suis évertué à répéter que sainte Marie était pleine de *graisse*. Je ne savais pas, comme l'indique la pochette du disque, que le vieux Kid était un mulâtre. Je ne signalerai pas cette découverte à Vouragan. Je connais sa réponse : il n'y a pas de mulâtre ; il n'y a que des Noirs et des Blancs. Le reste n'est qu'élucubrations.

Un bouledogue chauve à lunettes d'écaille épaisses, barbe de Sikh et gilet orné d'une chaîne et qui avait, au début de la conférence, introduit le docteur Leclerc, reprend alors la parole pour faire, en quelques mots, l'éloge de ce que nous venons d'entendre. Se lavant les mains et se balançant en s'appuyant d'une jambe sur l'autre comme quelqu'un qui veut calmer une violente envie d'aller aux toilettes, il invite l'assistance à poser des questions.

Le docteur Leclerc répond d'abord à un moustachu qui veut savoir pourquoi, si toutes les races possèdent les mêmes aptitudes, pourquoi donc les Arabes violent et tuent tant, pourquoi les Juifs sont doués d'un tel sens des affaires, pourquoi donc les Noirs n'ont pas réussi à construire des Versailles.

La réponse de l'homme aux cheveux rouges encourage une dame – sans doute une vieille fille – à poser une question touchante sur les croisements de races. Deux ou trois autres demandes de précision, apparemment anodines, fournissent au conférencier l'occasion d'esquisser un autre développement très court, avec référence à l'actualité politique ; de conseiller une étude récente et de lancer une boutade qui déclenche les rires et les applaudissements.

La parole est maintenant accordée à un Noir qui lève

depuis un moment un doigt d'élève impatient. Un Camerounais d'après l'accent. À sa manière de garder son duffle-coat déboutonné, je l'ai tout de suite reconnu. Il assistait à la conférence que j'ai donnée, lorsque je suis venu, il y a quelques semaines, à Nantes.

Le développement est long et filandreux, et la question se fait désirer. Le frère se lance dans un autre exposé, émaillé de nombreux mots en isme. Le bouledogue à la barbe de Sikh et aux lunettes d'écaille épaisses l'interrompt d'un mouvement de mâchoire sec.

– Monsieur, voulez-vous poser votre question, s'il vous plaît ?

– J'*en* arrive, j'*en* arrive.

Et le frère de parler du racisme dans les colonies. L'homme aux cheveux rouges croise les jambes, remue sur sa chaise, cherche la fesse la plus confortable, puis décroise à nouveau les jambes. J'entends des murmures désapprobateurs, mais le frère insiste.

Il est de nouveau interrompu par le bouledogue à barbe de Sikh. L'homme aux cheveux rouges boit une gorgée d'eau.

– Si vous ne posez pas votre question, je serai obligé, monsieur, de vous retirer la parole. Nous devons libérer la salle dans quelques minutes.

Brouhaha, mouvements divers. Quelqu'un parle de scandale.

Même Kani, la première fois, me prit pour un Antillais. À vrai dire ce fut réciproque. Depuis, nous avons souvent ri de cette double méprise.

Je venais de prendre sous plusieurs angles la Chiwara de l'exposition. Les jambes fléchies comme un joueur de volley en position d'attente, j'allais la photographier à nouveau de profil.

– Vous me laissez celle-ci ?

C'était une voix féminine.

– Donnez. Je vais vous montrer.

Je n'aimais pas prêter mon appareil. Avant de voir son visage, je n'aurais pas imaginé qu'une négresse m'interpellât avec ce français sans accent. Souriante et pleine d'assurance, elle me tendit une main ouverte. Son visage m'en rappelait un autre que je n'arrivais pas à resituer.

Elle considéra l'éclairage, regarda mon objectif puis la statue, s'absorba dans d'étranges calculs et fit jaillir plusieurs éclairs successifs.

– Je ne sais pas ce que cela va donner, avec ça, dit-elle en me rendant l'appareil.

Avec ça ? J'étais fier de mon jouet, moi. Un Kodak acheté avec l'argent de mon trousseau, quelques années auparavant, juste avant d'aller en vacances au pays.

– Oh ! quoique pour des photos souvenirs...

Elle fit la moue.

Je m'étais procuré ce bijou pour remplacer ma vieille boîte. Un cadeau du mari de Ngalaha, Joseph, le matin de mon départ. Un appareil qu'il n'utilisait plus et qui datait d'avant la guerre.

– ... pour des photos souvenirs, ça suffit bien.

La peau de la fille était d'acajou, et les traits de son visage évoquaient les bronzes d'Ifé.

– Tout dépend de ce que vous voulez faire ? C'est du noir et blanc ?

– Non, de la couleur.

– Papier ?

– Diapositive.

Je voulais me constituer ma propre documentation en vue d'un cours sur l'art nègre.

– Où enseignez-vous ?

– C'est une idée de cours. Quand je rentrerai au pays.

– Aux Antilles ?

Après ma réponse, elle s'est excusée et a ajouté qu'elle aurait dû s'en douter, à cause de l'accent.

– Vous n'avez pas à vous excuser. Ce n'est pas insulter. Les Antillais sont aussi des êtres humains.

– Ce n'est pas ce que je voulais dire...

Elle ne put finir sa phrase. Je regrettais de l'avoir embarrassée. Ne m'était-il pas arrivé à moi-même de douter de l'authenticité africaine de tel métis jugé trop clair, aux cheveux trop lisses, ou au français trop châtié ?

– Vous êtes photographe ?

– Non, mais mon père...

Plus je la regardais, plus j'avais l'impression d'avoir déjà rencontré ce visage aux traits si proches de ceux d'une reine d'Égypte. Elle en avait la coiffure et le cou.

– Pour celle-ci, vous ne devriez pas utiliser votre flash. Ou bien alors...

D'un regard expert elle évalua la disposition des objets, l'intensité de la lumière, les distances et me fournit des explications techniques.

C'est bien plus tard que j'ai songé à me présenter. J'ai souri en entendant son prénom.

– Pourquoi ce sourire, monsieur ?

Je voulais lui demander de répéter le mot « monsieur ». À cause du mouvement de sa bouche.

– Chez nous, expliquai-je, Kani veut dire non.

– Chez nous...

Elle n'avait aucune trace d'accent.

– ... chez nous, le sens est tout autre.

Ses yeux s'éclairèrent d'une lueur taquine. Elle prononçait le kiroupéen avec des intonations de Passy. Sans doute était-elle venue en France très jeune. Comme Mouloudji. La jeune Mandingue avait le port de tête princier des femmes qui vont à la rivière, une bonbonne sur le sommet du crâne, et portait son tailleur gris perle avec l'allure de ces dames habillées chez les grands couturiers. Elle avait quelque chose de Mme de Vanessieux, la marraine de Vouragan. Même allure, même race. Une de ces dames à qui l'on ne peut s'adresser sans un certain maintien.

– Que veut dire Kani chez vous ?

– Je vous le dirai peut-être un jour, monsieur.

– Un jour ?

Il y avait dans son regard de l'audace et la volonté de faire plier.

– Qui sait ?

Loin d'embarrasser son pas, ses talons rehaussaient une démarche qui indiquait la classe et mettaient en valeur des hanches harmonieusement dessinées.

Nous arrivions devant la bouche de métro. Le ciel était neuf et vaste. Il flottait dans l'air de mai des odeurs de feuilles qui perturbaient le rythme de mon souffle. Là-haut, un avion avait lâché derrière lui une longue traînée blanche comme une ligne tracée à la craie sur un tableau bleu. J'ai proposé de marcher ensemble. Nous nous sommes engagés sur l'esplanade du Trocadéro. Un immense balcon d'où les jardins du Champ-de-Mars ressemblaient à une maquette. Les fers de nos chaussures claquaient sur les dalles.

Ce soir aussi, chaque pas résonne sur le trottoir des rues désertes. De mon précédent séjour, j'avais emporté une autre image de Nantes.

Aujourd'hui, des gouttes perlent sur les pavés gras. Le brouillard qui monte du sol fait onduler les formes des murs et les silhouettes du paysage. La cloche de l'angélus tinte à quelques rues de là et je songe à celle du quartier Saint-Firmin le dimanche soir au temps de l'internat. En l'entendant, mon cœur se serrait. Je songeais au temps qui surprend et déjà j'imaginais mon désarroi à l'heure où la mort viendrait pour m'emmener.

Je frissonne et remonte le col de mon pardessus.

Tout à l'heure, à la fin de la conférence, le docteur était très entouré. Je n'ai pas voulu m'approcher de lui. Il ne fallait pas être reconnu des Africains que j'avais repérés dans la salle. Surtout pas du Camerounais au duffle-coat.

Avant que je file, les yeux du docteur ont un instant rencontré les miens. On aurait dit deux vieilles connaissances qui s'étaient perdues et ne souhaitaient pas se revoir. Il m'a été facile de disparaître car j'étais près de la porte. Avant de sortir, j'ai encore aperçu, au milieu du groupe des étudiants noirs, le Camerounais en train de poursuivre sa profession de foi avec passion et force gestes. Il cherchait à atteindre le conférencier. L'un de ceux qui l'accompagnaient m'a regardé en fronçant le sourcil. La ville n'est pas très grande, et tous les nègres nantais se connaissent entre eux.

Lorsque le docteur Leclerc est sorti, son visage rayonnait. Le dessin à la Cocteau et la jeune fille rousse à la queue de cheval lui serraient fortement le bras pour se réchauffer contre son corps. Il avait échangé un baiser avec la dame, puis un autre plus appuyé avec la jeune fille. Toutes deux s'étaient pelotonnées contre son bras, et ils s'étaient engouffrés dans une Dyna Panhard noire. J'ai voulu relever le numéro de la plaque, mais je n'avais pas de quoi écrire.

Vouragan maniait le cadeau de sa marraine comme un maniaque sa première voiture. Il avait conscience de la valeur de son tourne-disque.

– L'homme, tu as déjà écouté ça ?

La voix de Satchmo me rappelait celle de Joseph.

Peut-être aurait-il pu, lui aussi, devenir un chanteur de talent.

– Tu entends ça ? Du tonnerre !

Vouragan siffla.

– Avec le microsillon, c'est autre chose !

– Une révolution !

Une voix, au bout du compte, comparable à celle des chanteurs tékés ou mbochis quand ils entonnent les louanges d'un Grand. En fait, je savais que si j'avais développé de telles considérations devant Joseph, il aurait haussé les épaules. Pour lui, la musique exige une voix de rossignol comme celle de Rina Ketty, de Tino ou de Patrice et Mario. Pas celle d'un crapaud-buffle.

– Tu entends le volume des sons ? Procédé stéréophonique, mon cher.

– Les Blancs sont forts, dis !

– Pas pour la danse.

Vouragan rythmait de la tête en enfilant sa chemise Cinquième Avenue à col glacé. En nouant sa cravate devant le miroir, il répétait les paroles du morceau en anglais comme s'il s'agissait de sa langue quotidienne. Moi, c'est Kani qui m'a initié au jazz. À la grande musique aussi. En fait, elle n'aime pas que je dise *grande*. Ni *classique*. Souvent, elle soutient en s'enflammant qu'Armstrong et *Les Louanges à l'empire du Mandingue* sont également de la grande musique et appartiennent chacune à une forme de classicisme.

C'est Joseph qui m'a prévenu contre le jazz. Dès que radio Brazza en jouait, il tournait le bouton de la TSF.

– Des cris de sauvages ! Au village, on fait mieux que ça.

Vouragan se regardait dans le miroir de l'armoire pour vérifier l'effet de son costume gris anthracite.

– C'est un Blima, a-t-il précisé, faussement modeste.

Il pivota plusieurs fois sur lui-même, comme un mannequin et me demanda mon avis.

Je suis sorti de la salle avant la fin du débat. Ce n'était pas le lieu approprié pour aborder le docteur Leclerc. C'est chez lui, en tête à tête, dans son cabinet de travail que je veux le rencontrer.

Je pénètre dans le café face au cinéma. Depuis ce matin j'ai l'estomac vide.

À peine installé dans ma chambre d'hôtel, hier, j'ai consulté l'annuaire téléphonique. Il y avait moins de Leclerc que dans le Bottin de Paris, si bien que je n'ai pas eu grand mal à retrouver mon homme. Rue de Coulmiers. J'ai identifié l'endroit sur le plan de la ville et j'ai même déjà été en reconnaissance pour repérer les lieux.

Dans le bistrot, un client a commandé un sandwich. La couleur du pain et la gélatine du pâté me mettent en appétit.

Ce sera la même chose pour moi.

La croûte craque entre mes mâchoires. Yves Montand, dans le juke-box, fait voler les syllabes, en célébrant les jambes d'une demoiselle sur une balançoire, à la fête, un dimanche. Un vin de pays épais, ample et de robe violette, donne à mon casse-croûte un goût robuste de campagne. J'ai commandé un second sandwich. Après une valse musette, un client s'est levé en mettre une autre. J'avais fini et déjà réglé la consommation, mais me suis attardé pour écouter la chanson au rythme d'escarpolette, jusqu'à la fin. Il y a dans la voix chaude et traînante du chanteur quelque chose des gestes de nos climats.

Dehors un crachin, jauni par la faible flamme des réverbères, continue de vaporiser l'air. Frileux, j'entre le cou dans le col de ma gabardine et enfonce mes mains dans les poches. Au-delà de quelques pas, les formes deviennent des paysages de pays hantés. Sur le trottoir d'en face, là où tout à l'heure nous écoutions la conférence du docteur Leclerc, une foule s'est attroupée devant le guichet en une queue lâche.

Ce soir rien d'essentiel ne se produira. Aucun livre n'aura de voix nouvelle.

Mille fois je répéterai mon approche et les mots de la rencontre.

Pour tuer le temps, je suis entré dans le cinéma. Le public de la salle n'est plus le même que tout à l'heure. Des hommes et des femmes aux joues couperosées dont on devine les emplois. Maladroitement endimanchés, s'interpellant de diminutifs simplets, ils se lancent bruyamment, d'une rangée à l'autre, des plaisanteries épaisses. Les plus proches me regardent, les uns à la dérobée, les autres avec une insistance voisine de la grossièreté, un sourire de satisfaction aux lèvres. Un peu comme à Brazza, lorsque j'allais dans les salles de Poto-poto ou Bacongo. Là-bas on montrait le *moundélé* du doigt, ici on ricane du moricaud. Depuis mon arrivée à Paris, j'avais perdu l'habitude d'être ainsi, sinon désigné, du moins dévisagé. À Chartres, ces derniers mois, j'ai réappris à avaler ma susceptibilité et, regardant par-delà l'horizon, j'insulte les regards grossiers braqués sur ma peau.

L'estrade où, tout à l'heure, le docteur Leclerc nous avait emportés dans l'envol de sa méditation est maintenant vide. J'ai tiré de ma serviette le dernier numéro de *L'Étudiant d'Afrique noire*. L'ouvreuse a placé à côté de moi un couple de jeunes qui venaient d'entrer. J'ai dû replier la revue pour me lever et les laisser passer. La fille a les cheveux coupés à la garçonne.

Son cavalier, jeune coq des faubourgs en pantalon bleu pétrole et en canadienne, a gardé à la lèvre un mégot éteint. Après s'être débarrassé de sa canadienne et avoir recentré sa cravate, il extrait de son portefeuille un petit peigne et s'applique à recoucher une tignasse graisseuse, en veillant à sa raie, surtout à bien rebâtir la vague juste au sommet du front. La fille l'a embrassé et il lui a passé le bras autour du cou.

Un coq enroué a chanté, la terre a tourné et les actualités de la semaine ont défilé à un rythme qui ressemble à celui du cinéma muet.

Dès l'extinction des feux, mes voisins se sont mis à s'embrasser. Le documentaire était à la fois grandiloquent et mièvre et accumulait banalités et clichés. Popeye était, lui, magnifique dans ses exploits. J'ai eu tort à une certaine époque de mépriser les dessins animés.

Les mouvements et les soupirs de mes voisins m'agacent. Chez nous, nul n'aurait cette impudeur.

Là-bas, la salle est ouverte sur le ciel. L'air bruit du cri stridulé des cigales, que couvrent par intervalles les ronflements des crapauds-buffles. Nous sommes au Congo-Océan, chez Milot, juste en face du palais du gouverneur général. La nuit bleue n'a pas amené la fraîcheur, et nos corps sont moites de sueur. Les vents ont fait escale, et la terre, fatiguée de tourner, se repose un moment. À l'affût dans les branches d'un manguier, nous attendons l'extinction des feux pour lancer l'assaut. Dans le mystère de la nuit, un phare, tout à l'heure, projettera la magie sur le drap blanc.

Je me souviens qu'un jour une branche s'est brisée et, dans la grappe des gosses qui s'y accrochaient, l'un d'eux, du quartier Bacongo, ne s'est pas relevé. Aujourd'hui, il se traîne à quatre pattes. On peut le voir mendier chaque jour à l'entrée du marché du Plateau. Mais je ne dis rien, sinon Vouragan me traiterait de peureux. En classe, il est mon obligé. Dès qu'on en sort, il fait valoir sa carrure.

– Ouais, mais d'ici on verra mieux que ces cons-là !

Vouragan indique d'un mouvement de menton quelques évolués assis dans les premiers rangs de la salle.

– Ça oui, alors. De là-bas les visages sont déformés, comme dans un miroir convexe.

– Concave !

– Convexe, je te dis !

On vérifiera plus tard dans le bouquin de physique.

Les évolués* sont assis dans la salle, mais tous confinés dans les rangs qui leur sont réservés juste sous l'écran. Les Blancs, au milieu et au fond de la salle, se lancent des plaisanteries et se répondent par des éclats de rire bruyants. Sévère et consciencieux, le boy opérateur veille à ce qu'aucun indigène ne franchisse la frontière. Grâce à ma couleur, je pourrais m'asseoir avec les évolués. Si nous passons notre bac, mes camarades et moi aurons tous un jour le droit d'aller au cinéma dans les salles propres du quartier européen. Mais passer le bac !...

* Après l'abolition du régime de l'indigénat, dans les colonies françaises d'Afrique, l'élite africaine accédait à ce statut.

Pour l'heure, je me sens mieux ici avec Vouragan et les miens.

Je lève un instant la tête vers le ciel silencieux. Quand parviendrai-je donc à reconnaître la Croix du Sud au milieu de cette multitude d'ampoules minuscules ?

Lorsque, traversant l'écran, le visage masqué, le dernier des fédérés cabrait son cheval blanc aussi immaculé que les pique-bœufs de fin de saison sèche, son cri de guerre retentissait dans la vallée : « *Eyéhou séhoumbé !* » ou quelque chose de voisin. Un cri repris par le chœur des nguembos*. Ventre à terre, le justicier du Far West s'envolait vers les montagnes. Les nguembos exultaient et l'encourageaient comme le public du stade Marchand quand Vouragan semait la panique dans la défense des Diables noirs. Le cheval du héros masqué galopait au rythme d'un air qui déclenchait bravos, hourras et vivats sur les branches des arbres. Nous prévenions l'Indien Onto de ne pas continuer dans cette direction : les bandits l'attendaient dissimulés derrière les rochers. Les Blancs, dans la salle, s'énervaient et nous lançaient des injures. Il arrivait qu'un militaire menaçât d'aller déloger là-haut cette bande de petits sauvages qui braillaient avec des cris de macaques. Mais nous n'entendions pas le para. Nous nous amusions de le voir gesticuler comme un personnage de film muet. Nos cœurs battaient pour les cow-boys, et rien ne pouvait mettre un terme à nos encouragements. Nos cris étaient si perçants qu'ils réveillaient la ville et faisaient tressaillir de surprise le Plateau et la Plaine. Au bruit de la clameur, à Poto-poto et Bacongo, les conversations se suspendaient, on se regardait, et certains se signaient, Jésus-Marie-Joseph, puis, comprenant que ce n'était

* Vampires, en lingala. Se dit par extension des gamins qui grimpent dans les arbres ou au sommet des murs des cinémas et des bals de plein air pour bénéficier gratuitement du spectacle.

pas la fin du monde, haussaient les épaules et reprenaient le rythme de la palabre. J'ai longtemps cru que la musique rythmée par les sabots du coursier du dernier des fédérés était un morceau spécialement composé pour le film. Depuis lors, Kani m'a appris qu'il s'agissait de l'ouverture de *Guillaume Tell*. Pour moi, ça demeure *La Chevauchée des justiciers du Far West*. Un jour, le reconnaissant, à la salle Gaveau, mon cœur s'est mis à pousser le cri de guerre de l'enfance : « *Eyéhou séhoumbé !* » ou quelque chose de voisin.

Aujourd'hui, dans ce cinéma de quartier de Nantes, j'ai vu le film avec d'autres yeux. La première fois, j'avais pris le parti des GI, à cause de Frank Sinatra. Si je manifeste contre le comportement de mes voisins, je sais l'insulte qu'ils auront à la bouche.

Je n'avais pas oublié l'intrigue. Dans son rôle, Sinatra m'a captivé comme si je voyais le film pour la première fois.

Lorsque la lumière revient dans la salle, ma voisine rabat prestement le bas de sa jupe et reboutonne son corsage. Le garçon devra se recoiffer à nouveau. Il demeure un moment avachi sur son siège, consulte sa montre et un nuage assombrit son visage. La fille a senti passer l'ombre et interpose ses lèvres quémandeuses entre lui et la vision. Elle lui cache de la main l'écran entouré de noir. Le jeune homme se lève avec nonchalance. Il se recoiffe en veillant à bien reconstituer la vague au-dessus du front, et tous deux, traînant les pieds, se dirigent vers la sortie.

Non seulement j'ai relu plusieurs fois de suite les *Carnets de voyages* de César Leclerc, mais encore j'en ai recopié certains passages. De cette lecture date sans doute mon premier intérêt pour l'histoire. Auparavant, je trouvais la matière ennuyeuse et ne condescendait à en apprendre quelques dates et péripéties que pour m'éviter des ennuis aux examens. Contrairement aux autres auteurs, Leclerc, dans ses relations, évoquait un milieu familier, et les protagonistes de ses chroniques devaient encore être vivants pour la plupart. J'ai décidé de confronter les témoignages de Leclerc aux souvenirs de Ngantsiala. Ne m'avait-il pas enseigné au temps de l'initiation que les jeunes doivent périodiquement aller s'asseoir auprès des vieux et recevoir leur bénédiction ? Car l'odeur d'un ancien qui a vu se coucher de nombreux soleils porte chance et fait avancer dans la sagesse.

Au début, Ngantsiala s'était méfié. Puis avait fait la grimace en fixant le stylo et le papier.

Il m'avait fallu des semaines et l'aide de Ngalaha pour le mettre en confiance. Mais j'ai dû renoncer à prendre des notes.

Il commença par les paroles traditionnelles qui annoncent le début d'un récit.

– Niain, niain ?

– Niain !

– Tu veux savoir ?

– Dis !

– Ah ! jeunes des cahiers, apprenez à lire également dans les feuillages et l'huile bouillante. Ce n'était pas Djambala, mais N'gambom'...

Yéhé, héhé, yéhé, héhé !...

Il manquait le tam-tam, la sanza ou le balafon.

– Qu'importe que la voix de lumière soit de granit ou de rivière, pourvu que la main tienne ferme quand s'approche la flamme.

J'avais choisi une buvette aux alentours de l'ancienne briqueterie. À cette heure, l'endroit était vide. Devant nous, le fleuve glissait, emportant des corbeilles de jacinthes d'eau. Dans le fond, la barrière des pyramides de Léo surgissait des eaux, comme un mirage géant. À cette distance, les yeux pouvaient distinguer sans peine les véhicules qui roulaient silencieux le long de la corniche de l'autre rive. Pêcheurs ou contrebandiers, des piroguiers soucieux et muets animaient un tableau d'une autre époque.

Avant d'entrer dans le vif du sujet, le conteur avait besoin d'une mise en train par échange de formules codées.

– Tu veux savoir ?

– Seul le sage peut faire pousser ma barbe.

Ngantsiala avait, pour venir en ces lieux, tenu à enfiler, malgré la chaleur, sa veste grise. La chemise était neuve. L'une de celles que je lui avais apportées en cadeau, dans ma valise de vacances. Il sortit les pieds de ses *mapapas*, les croisa et en remua les doigts. Une brise à peine perceptible faisait bouger les cisonghos plongés dans l'eau de rouille.

– Niain, niain ?

– Niain ! Je veux savoir.

Nous nous sommes égarés, par ma faute, un moment,

sur les temps d'hier et les mœurs des villes modernes. J'ai dû relancer l'Oncle Ngantsiala par un proverbe.

– Le dit du guerrier est à mon gosier semblable au vin de palme de la mi-journée. Les singes qui, sur les branches, excitent les armées, sont lâches à la bataille. Ils n'ont pourtant pas leurs pareils pour imiter la clameur des combattants. Mais que savent-ils des cœurs qui saignent ?...

J'ai du mal à donner à ces préliminaires la densité que leur conférait la langue gangoulou. Ainsi, chaque fois que je prenais la parole, j'invoquais l'Oncle Ngantsiala d'un mot qui n'a pas d'autre équivalent que « vieux », ce qui, en français, paraît irrespectueux ou vulgaire. Si l'on traduit par « vieillard », on donne dans le pathos.

Nous avions choisi la table à l'ombre d'un manguier. L'arbre se dressait déjà là lorsque aux temps de l'école buissonnière nous venions jeter l'hameçon dans ces parages. Plusieurs fois, Ngantsiala coula un regard en direction du comptoir, comme s'il avait peur d'être entendu. Le patron, un Syrien, mielleux avec la clientèle, ombrageux avec son personnel, rangeait des bouteilles en faisant la leçon au garçon.

– Ne plus évoquer la voix des disparus, n'est-ce pas laisser blanchir le charbon de leurs âmes ?

– Avec l'oubli débute la mort.

Un nouveau regard en biais du vieux pour évaluer. Nous n'entendions pas le patron et son boy, leurs oreilles étaient hors de portée de nos voix.

– Donc, que je dise ?

– Je le veux !

– Alors cale-toi sur ton siège et ajuste de bonnes oreilles.

– Embarque-toi, patriarche, embarque-toi sur le Congo des mots.

– Je te vois venir, jeune flagorneur, mais tu ne t'en tireras pas à si bon compte. Verse à boire, auparavant !

– Vin de palme ou vin de Blanc ?

– Le gosier du vrai mâle apprécie l'un et l'autre. Insensé, celui qui ne se consacre qu'à un seul jeu de djiguidas ! Sec est son cœur, pauvre son palais. Le vrai circoncis a toujours plusieurs bouches à nourrir. Tu ne bois pas, toi ? Ah ! je sais, vous les nègres aux vitres-là sur les yeux, vous cachez des boyaux de paille. À vouloir imiter les messieurs, vous compromettez la race. Voici venir le temps où nos enfants seront moins gaillards que les microbes. À notre époque...

– Niain !

– Que je répande ma palabre ?

– Verse, seulement !

– À vous en inonder ?

– À nous en noyer !

– Tape-là !

– Tapé !

– Jusqu'au soleil levant ?

– Jusqu'à épuisement !

– Cacher la vérité, c'est...

– Mauvais !

– Cacher...

– Mauvais !

– Yéhé, héhé, yéhé, héhé !...

Et Ngantsiala se mit à égrener le passé.

Un silence oppressant enveloppait le poste. Je savais qu'une sentinelle montait la faction devant la case du Commandant, sinon j'aurais crié dans la nuit jusqu'à ce que ma mère vienne me rejoindre.

Une lampe luciole balançait lentement les silhouettes contre le mur. S'agissait-il d'ombres, d'objets réels, d'hommes ou d'animaux étranges ? Je refermais les yeux pour les éliminer et je retenais mon souffle. Mille criquets stridulaient dans une nuit bruissante. Une voix couverte par de bizarres crépitements dialoguait avec le Commandant dans la pièce voisine. Chaque soir, il s'entretenait ainsi avec des esprits logés dans un sanctuaire de tissu et de bois.

Ma mère prenait plaisir à me caresser la tête. Elle aimait mes boucles.

– Tu me donnes tes cheveux ?

Je faisais semblant de m'en arracher une touffe et la posais dans la main de Ngalaha qui poussait un cri de joie semblable à celui d'une fille qui vient de gagner une partie de dzango. Elle me serrait contre sa poitrine et me berçait. J'aimais l'odeur de frangipanier qui montait de son pagne.

Rien ne pouvait m'arriver quand je la sentais si proche, et je fermais les paupières.

Je dispose de peu de jours pour ma rencontre. Il me faudra être de retour à Chartres mercredi matin au plus tard.

Dans la chambre, j'ai relu toutes les notes que j'avais prises pour bien me préparer. J'ai échafaudé toutes les possibilités, jusques et y compris les tournures éventuelles que pourrait prendre ma conversation avec le docteur Leclerc. J'ai même écrit sur un carnet plusieurs scénarios détaillés pour éviter, au moment crucial, d'être submergé par l'émotion, car je dois sortir vainqueur de cette confrontation.

L'homme de la réception fournit des renseignements à un couple. Il a étalé sur le comptoir un plan de la ville, qu'il commente avec des airs de chef d'état-major. Il le tourne pour être mieux compris de ses clients. Je m'approche et dépose discrètement ma clé sur le comptoir. Sans s'interrompre, l'employé de l'hôtel me lance un regard sévère et poursuit ses explications. Le client, visiblement un étranger, fronce les sourcils et lui pose une autre question.

– Ce n'est pas difficile. C'est tout droit. Quand vous arriverez sur les quais, vous le verrez haut dans le ciel. Y'a pas à se tromper.

L'homme de la réception a parlé d'un ton calme. Il a même souri à plusieurs reprises. Le client m'a aperçu et, après m'avoir fait un signe de tête, s'est mis à ranger son plan. Il s'est adressé en anglais à sa femme. À part « pont transbordeur » qui surnageait insolite dans une mer de mots insaisissables, son débit était trop rapide pour que je comprenne un seul mot. Il a pris son épouse par le bras, et le couple s'est dirigé vers la porte.

L'homme de la réception doit ensuite répondre au téléphone. Il regarde partout, sauf dans ma direction. J'allume une cigarette et dissimule mon irritation derrière la fumée. Le réceptionniste parle longuement, consulte un cahier, et semble assiégé par de grands problèmes. Je n'aime pas ses manières.

L'œil critique, je détaille sa chemise blanche légèrement jaunie – sans doute du nylon –, sa cravate et son pantalon noirs. Il a enfilé par-dessus l'ensemble un tablier bleu sombre.

Après sa conversation, il me fixe sévèrement.

– Je voudrais téléphoner.

– En dehors de Nantes ?

– Non, en ville.

– Vingt francs.

– La cabine ?

– Faut payer d'abord.

– J'ai une chambre ici, monsieur.

– Je sais. Mais faut payer d'abord. Ce sont les ordres.

J'ai encore argumenté.

– C'est pas la même caisse !

Je l'ai fixé en chargeant mon regard du maximum de mépris dont j'étais capable. En échange de ma pièce l'individu m'a montré du doigt le poste sur le comptoir.

– Vous n'avez pas de cabine ?

– Non.

Je lui ai demandé de me rendre mes vingt francs et je me suis dirigé vers la gare.

Je devais, au cours de mon premier séjour, donner une conférence à la section nantaise de la Fédération. Une idée de Vouragan, qui y assurait la vice-présidence aux affaires sociales et culturelles. Il m'avait laissé le choix du sujet.

Le public était composé dans sa majorité de nègres nantais. Quelques Arabes, des Indochinois et une dizaine de Blancs coloraient l'assistance. De jeunes Européennes aussi, qu'avaient dû entraîner là certains de nos militants, dressaient, assidues, le cou dans ma direction.

Le président de la section, sérieux et pincé, avait tenu à s'adresser le premier à l'assistance par un discours écrit, trop long à mon goût, dans lequel il remerciait les camarades de l'Union qui nous avaient prêté la salle, ceux du Comité et de l'Association qui avaient, « d'une manière militante », participé à l'organisation de la manifestation. Il adressa aussi sa reconnaissance à d'autres organisations et personnalités que j'ai oubliées.

Vouragan, deux autres membres du bureau de la section, que l'on m'avait présentés (un Sénégalais et un Soudanais), et moi, l'encadrions sur l'estrade.

Le président avait un accent sonore, appuyé sur les gutturales. Il confondait systématiquement les *ou* et les *v*. Il a décrit l'« impérialisme aux abois ». Les Indochinois ont applaudi, et tout le monde les a imités. Il a salué la lutte des Algériens et a cité Mao Tsé-toung. Quelqu'un, le visage concentré, a hoché la tête, et on a encore fortement applaudi. Quand le silence est revenu, le président, après avoir repris la fin de la phrase que l'on venait de saluer, a continué en enflant sa voix. Il a insulté l'impérialisme international en général et le colonialisme français en particulier et a décrit la lutte héroïque des larges masses paysannes d'Afrique.

D'après sa relation, je ne reconnaissais pas le pays que j'avais retrouvé lors de mes dernières vacances. Des métamorphoses avaient dû se produire depuis mon passage, et je n'avais pas su en déchiffrer les signes annonciateurs. Car avec ses mouvements clandestins, ses grèves, ses manifestations, l'Afrique décrite par l'orateur ressemblait à la Russie des années 1915 et 1916. Tout y était prêt pour le grand feu de brousse.

Vouragan et les membres du bureau écoutaient le président avec des visages de sphinx.

Le président a longuement parlé de la lutte des étudiants à laquelle il a accolé des épithètes glorieuses et a fait de la publicité pour un livre que nous distribuions, à l'époque, sous le manteau. Pour terminer, il a cité Ghezo, souverain d'Abomey, qui invitait tous les enfants du royaume à venir boucher de leurs doigts les trous de la jarre percée. L'assistance l'a ovationné, et le président s'est applaudi lui-même.

Sur le mur d'en face, un Marx léonin, la chevelure décoiffée, la barbe plus broussailleuse que celle des pères blancs, nous observait, impassible, et un Lénine en costume et gilet, dans une pose d'orateur illuminé, portait ses regards vers un horizon invisible.

D'une cabine publique, j'ai pu téléphoner. Le numéro du docteur Leclerc sonnait occupé. Après plusieurs tentatives, j'ai abandonné, à cause de la queue derrière moi où j'avais noté des manifestations d'impatience à peine contenues.

Dans le tramway qui m'emporte vers le centre de la ville, le wattman annonce les stations à la manière des bonimenteurs des grands boulevards. La casquette renversée sur la nuque, la voix énergique, comme d'un général qui fouetterait le moral de sa troupe, il lance des calembours. J'en reconnais quelques-uns. Mes élèves les affectionnent.

Il en faudrait plus pour dérider le wagon. Après avoir concédé un sourire rapide, la cargaison regarde devant elle, figée dans des poses de photos d'identité. Chacun, dans la ligne de son sillon quotidien, craint le contact de sa manche contre celle du voisin.

Finalement moi aussi, j'avais peur, mes premiers mois en France, de marcher seul la nuit dans les rues. J'avais peur d'y rencontrer les bandits en imperméable des films policiers, ou ceux du gang des tractions avant.

J'imagine les commentaires de Vouragan sur la mise de ce peuple. Ici, comme à Chartres et plus qu'à Paris, ils ne peuvent s'empêcher de couler un regard dans ma direction.

Quand je confie à Kani ma nausée devant cette France-là, elle me prend la main, sourit et hausse les épaules. Elle prétend qu'en réalité personne ne fait attention à moi, sinon des jeunes filles et que je sais bien pourquoi ; que si, si, si, je sais bien et ferais mieux d'abandonner cet air hypocrite. Et elle ajoute qu'elle les étranglerait, ces effrontées !...

Je descends à la place du Commerce. J'ai reconnu le bureau de poste central, la place Royale et j'ai pu me diriger sans demander mon chemin.

Peut-être atteindrais-je le docteur Leclerc si je tentais un nouvel appel maintenant.

La vasque de la fontaine est sèche, et ses statues, sur la tête desquelles se sont posés des pigeons irrespectueux, ont le regard des gisants. Avant la guerre, paraît-il, les jets d'eau jaillissaient indéfiniment, illuminés du coucher au lever du soleil.

J'ai évité *Le Pot-au-lait*. Fleur pourrait bien y passer. Ou Vouragan. C'est un des lieux de rendez-vous des nègres nantais. Ils y dépensent toute leur monnaie à commander du Bechet, du Satchmo, du Pacheco et des mambos. Et quand ils n'ont plus de pièces, ils en redemandent à la caisse en présentant un billet tout neuf. Agacés, les Baroupéens raclent leurs fonds de poche pour faire chanter Line Renaud, André Claveau ou la Piaf. Quelques-uns préfèrent *Gare au gorille !*, une chanson interdite d'antenne dont ils reprennent le refrain en chœur.

– Ah ! ces carabins, s'exclame alors la patronne d'un air entendu.

Je m'éloigne avant d'être reconnu. Je trouve finalement refuge dans une salle enfumée du voisinage où l'on parle fort et sert fillette de muscadet sur chopine de gros-plant. La jeune fille derrière le bar plaisante avec un moustachu.

J'ai choisi une table pas loin du comptoir, près des joueurs de manille. Le coin est moins bruyant.

Quand la serveuse se présente, je consulte ma montre. Que prendre à cette heure ? L'homme à la moustache, sur le haut tabouret du bar, s'est retourné et m'a lancé un regard de défi. Il a les attitudes et, dans son argot, l'accent des parachutistes en permission, le samedi soir, à Brazzaville, dans un bar du quartier Mpila.

– Un café !

La serveuse me regarde avec mépris. Derrière elle, son galant cache à peine son ricanement en avalant le fond de son verre de blanc.

– Vous ne servez pas de café ?

– Si, mais...

Le chignon, relevé sur le sommet de la tête, met en valeur sa nuque. Une mèche rebelle descend derrière l'oreille jusque dans le cou.

Finalement, j'opte pour un panaché.

– Vous avez des jetons de téléphone ?

Elle s'est retournée, puis est revenue.

– Pardon ?

– Des jetons de téléphone...

– Combien ?

Elle a le mollet bien fait, la cheville fine et les pieds nus dans des sandales en bois à talons. Je ne sais quelle sensualité sauvage émane de son corps.

Il y a de la haine dans le regard que m'adresse l'homme à la moustache. Je le sens me dévisager sans retenue et, moi, je fais semblant de ne pas le voir. Quand la serveuse rejoint le bar, il recommence à lui chuchoter des malices à l'oreille.

Il faut descendre quelques marches pour se rendre au sous-sol. Le téléphone est juste avant les lavabos.

La sonnerie retentit dans le vide. J'ai ressorti mon carnet pour vérifier le numéro. Cette fois, j'ai laissé sonner longtemps. Sept, huit... Kani dit qu'il n'est pas convenable de laisser sonner au-delà de cinq fois.

Dix, onze... Il ne doit y avoir personne.

L'homme à la moustache est vautré sur le zinc. La serveuse, le buste penché en arrière, rit et demande à l'homme d'arrêter. Il m'a encore regardé des pieds à la tête puis a tiré une longue bouffée sur sa cigarette. Un garagiste ou un routier qui a troqué son bleu de travail pour son pantalon bleu pétrole des dimanches. Il avale une rasade de blanc.

Je me suis arrêté devant la machine à musique. J'ai mis deux pièces jaunes.

Il pleuvait fort sur la grand-route

Il y a plus de bière que de limonade dans le panaché. Son goût me rappelle celui de la femme au péplos. Goinfre, je l'avais léchée à m'en rendre malade, la nuit de la mi-carême, lors de mon premier séjour à Nantes, et ce n'était pas assez. Des images de carnaval me reviennent, mais les couleurs d'aujourd'hui sont tristes. Pourtant nous n'étions qu'en février alors qu'aujourd'hui, selon les indications du calendrier, le printemps est déjà bien avancé. Le crachin qui vaporise les vitres déforme les silhouettes dans la rue.

Elle cheminait sans parapluie,

Avec le recul, je me demande si la femme au péplos n'était pas un signe du destin ?

... volé sans doute
Le matin même...

Je répète chaque vers avec le barde essayant de rouler les *r* comme lui et fredonnant des ding, ding, ding, quand il se tait pour laisser couler la guitare.

... toute petite
à l'horizon de ma folie.

Malgré l'heure, le soleil faisait déjà cligner des yeux. Tout le poste s'était réuni sur la place. Au début, je n'avais pas reconnu l'Oncle Ngantsiala. Dans son habit d'apparat, il m'avait effrayé. Était-ce bien lui ou quelque Dongolo Miso envoyé par une tribu ennemie ?

À peine rassuré par Olouomo, je détaillais son étrange bonnet. Cet être coiffé d'une double rangée de cauris agrémentée de plumes de nkougou était-il le parent qui me tenait fasciné sous l'effet de ses histoires merveilleuses où les animaux s'exprimaient en kigangoulou et où les génies se jouaient des lois de la nature, accomplissant des miracles, au point que je ne savais jamais s'il les avait vécues lui-même, si on les lui avait racontées, ou s'il les inventait ? Ne s'agissait-il pas plutôt, sous ce maquillage, d'un esprit de la forêt qui aurait emprunté ses traits ?

Olouomo avait senti les battements de mon cœur et me calmait en me serrant contre elle. Le visage ainsi grimé, l'Oncle était aussi terrifiant qu'un masque mpounou. Une longue ligne de mpembê* descendait du front, courait sur l'arête du nez et divisait la face en deux, un côté enduit de rouge, l'autre de jaune. Son cou était orné d'un collier de velours écarlate auquel étaient accrochées des

* Blanc.

griffes de fauves. Ngantsiala tenait à la main un chasse-mouches en queue de buffle. Chaque fois qu'il l'agitait, un épais bracelet d'or ciselé glissait jusqu'au poignet, et il devait le remonter d'un geste négligent tandis qu'il chantait en chevrotant des litanies à Ngalaha, ma mère, dont le visage bouleversé m'inquiétait. Pourquoi ces masques de tragédie alors que le soleil avait chassé les ténèbres ? Aurait-on annoncé la mort d'un parent du village ? Dans ce cas, la famille ne se serait pas ainsi parée de ses habits les plus beaux, et Olouomo n'aurait pas consacré autant de temps le matin à bien aplatir mes cheveux mouillés. J'avais bien senti, lors de ces préparatifs dans la maison, une agitation inhabituelle.

Un tirailleur a embouché le clairon pour jouer *Mo ga pêpê*, et aussitôt un autre a amené le drapeau. Vêtu de sa tenue de dril blanc, mon père, immobile face au mât, suivait songeur la montée du linge tricolore qui, faute de vent, pendait flasque dans le ciel pur. Il a porté la main droite à la visière de son casque. Dans les bras d'Olouomo, j'ai fait le même geste. Celui des braves soldats français. Le Commandant me l'avait enseigné pour que j'apprenne à devenir un bon militaire. Olouomo, comme obéissant à un rituel, la mine sévère, nous a imités. De loin, je percevais la douleur de ma mère et j'ai décelé dans ses yeux d'infimes diamants qui jouaient avec les rayons du soleil. Accaparé par la cérémonie, mon père ne nous voyait pas. Moi non plus, je n'arrivais pas à distinguer ses yeux. La visière du casque colonial dissimulait son visage dans l'ombre. À côté de lui, sa copie en kaki l'accompagnait. Ils passaient en revue les militaires et les fonctionnaires du poste. Même casque, même chemise, même culotte, mêmes chaussettes. L'autre Commandant était toutefois légèrement voûté et moins grand que mon père.

Le chef des tirailleurs hurla des ordres, et un détachement d'hommes coiffés de chéchias, les mollets enveloppés dans des bandes kaki, exécuta des gestes d'automates. Les élèves, alignés par leur maître, entonnèrent une chanson dont je n'arrivais pas à déterminer si les paroles étaient en lingala, en kigangoulou ou en français. Dans cette mer de phrases mystérieuses, les mots patrie et France surnageaient, ballottés comme des cocottes en papier sur les vagues. Les tirailleurs défilèrent devant mon père et sa copie. Le cou tordu par un torticolis, ils avaient les yeux rivés sur les Commandants et balançaient énergiquement le bras gauche, le pas rythmé par le chef des mboulou-mboulous qui, lui, ne parvenait pas à compter au-delà de deux.

Après le défilé, sur un signe de l'Oncle Ngantsiala, les tam-tams se sont mis à battre. Mon père a profité du désordre pour abandonner sa copie en kaki et venir nous rejoindre. Ce fut d'abord vers moi qu'il se dirigea. Il me prit dans ses bras et me souleva au-dessus de la foule comme s'il avait besoin que je fusse mieux éclairé par le soleil. Il me recommanda d'être sage et bon et me promit de revenir bientôt. Il enleva son casque colonial pour m'embrasser plusieurs fois. Tandis que sa moustache me chatouillait la joue, il me chuchotait d'autres choses que je ne comprenais qu'à moitié.

Je voulais savoir dans quel village il se rendait cette fois-ci en tournée.

Il a souri, n'a pas répondu, m'a serré dans ses bras et j'ai senti une odeur d'eau de Cologne et de tabac.

– Tu vas rester longtemps en tournée ?

Il a ôté ses lunettes, essuyé discrètement un œil, puis a fait un effort pour me sourire à nouveau. J'ai déclaré que je voulais qu'il me rapporte un singe et un nkoussou, l'oiseau qui parle comme les hommes.

En entendant ma mère sangloter, mon père m'a confié à Olouomo et a pris Ngalaha dans ses bras. On aurait dit qu'il lui parlait et qu'elle lui répondait. Pourtant je ne l'ai jamais entendu utiliser notre langue ni ma mère le kiroupéen. Des musiciens soufflèrent dans des cornes de bœuf des notes tékés qui exprimaient le chagrin de la fille de Nzorobé. Sur un signe de Ngantsiala, les tam-tams roulèrent comme des coups de tonnerre ininterrompus. Hommes et femmes se mirent à se secouer, damant le sol en cadence. La plainte des cornes de bœuf sonnait, douce et mélodieuse, mais possédait je ne sais quoi de lugubre, et mon cœur d'enfant s'emballa au rythme des tam-tams. Des hommes tirèrent des coups de feu vers le ciel, et je m'agrippai à la camisole d'Olouomo.

La copie de mon père en kaki est venue se placer derrière le couple.

– Docteur, il est l'heure de se mettre en route !

Mon père n'a pas répondu, est devenu grave, puis, sans un mot, a lâché ma mère. Elle a poussé un cri et s'est effondrée dans les bras des femmes qui chantaient pour exprimer sa douleur. La peau du visage de mon père était plus blanche encore qu'à l'ordinaire. Je me suis débattu des bras d'Olouomo pour courir porter secours à Ngalaha. Mon père a regardé dans ma direction, mais l'ombre que la visière de son casque portait sur son visage m'empêchait de voir l'expression de ses yeux. Je distinguais seulement le dessin de sa moustache de braise, drue comme des poils de brosse à dents.

De retour à la maison, de gros ballots de pagnes noués avaient été déposés épars sur la véranda. C'étaient nos bagages. La résidence du Commandant avait été envahie par des prisonniers bruyants qui la lavaient à grande eau. Elle devait être prête pour le Commandant suivant. Ces brutes croyaient chanter alors qu'ils vociféraient des paroles remplies de mots que maman m'interdisait de répéter. Quelques années plus tard, nous les avons chantées avec Vouragan et les copains, pour nous prouver que nos voix avaient mué et que nos épaules s'étaient élargies.

La nuit de ce départ, tandis que les crapauds-buffles et les oiseaux rapaces lançaient leurs cris mystérieux, le fils du Blanc, dans l'angoisse des ténèbres, n'arriva pas à trouver le sommeil. Il sentait l'agitation de sa mère, à côté de lui. S'il n'a pas alors exprimé sa frayeur, c'est qu'il ne voulait pas se faire repérer par les rôdeurs du monde des ombres dont il entendait les pas au-dehors de la case. Ce fut sa première nuit sans la protection de la sentinelle. Sa première nuit sur la natte. Couché à côté de sa mère qui reniflait bruyamment, il se rapprochait d'elle et lui prenait le cou d'un geste protecteur. Lui ne pleurait plus. Il essuyait les larmes de Ngalaha qui le serrait dans ses bras et sanglotait plus fort encore...

Vouragan ne m'avait pas consulté sur le texte qu'il a lu pour me présenter lors de la conférence que je devais faire au nom de la Fédération, à l'occasion de mon premier séjour à Nantes. Il s'était contenté de me réclamer, quinze jours auparavant, un *curriculum vitae*. Surpris, j'en découvrais alors le contenu, et un sentiment de honte m'envahissait.

Vouragan, fier de lui, scandait son texte comme s'il lisait l'acte d'indépendance du Moyen-Congo.

Une ovation chaleureuse salua sa prestation tandis que je remuais maladroitement sur ma chaise, essayant d'éviter les regards qui, de la salle, convergeaient vers moi. J'ai remarqué une fille aux cheveux roux. Bien qu'elle battît des mains pour ne pas se singulariser, elle ne pouvait réprimer l'esquisse d'un sourire amusé.

Sur les murs latéraux, des calicots rouges clamaient des mots d'ordre auxquels les passants des rues étaient habitués.

Après cette introduction, je me suis brusquement senti paralysé.

J'ai toussoté pour m'éclaircir la voix et lancé une plaisanterie. J'aurais dû mieux me préparer. Le sourire de la petite rousse à queue de cheval constituait la preuve de la faiblesse de mon numéro.

Mon exposé débutait par un tableau des méfaits de l'enseignement dans une langue étrangère sur le développement de la personnalité. J'ai cité des enquêtes faites en Amérique et des exemples pris dans l'histoire de l'Inde, de la Chine et des pays d'Europe centrale. Habitué de ce genre d'exercice, je sentais physiquement mon auditoire. Ma voix retrouvait son timbre naturel, et je me détachais de mes notes.

J'ai comparé la Pléiade et même Cicéron à la situation que nous vivions puis, craignant d'ennuyer par une fausse érudition, j'ai rafraîchi mon propos d'une citation de quatre vers de Léon Laleau, un poète haïtien que je venais de découvrir dans l'anthologie de Senghor. Le gars au teint café au lait du troisième rang, qui prenait des notes avec soin, a levé les yeux un instant. Ce devait être un Antillais.

Peu après, j'ai surpris un bâillement au troisième rang. Je me suis alors rendu compte que le reste de mon exposé avait un caractère décousu. J'ai préféré courir à une conclusion que j'avais pris soin de rédiger. Un morceau de bravoure qui se terminait par un slogan politique.

Dans un coin de la salle, la petite rousse continuait à laisser flotter son sourire amusé. Elle m'agaçait, l'animal ! J'ai eu envie de l'interpeller ainsi que je le fais quand je note, dans ma classe, un élève qui se donne de grands airs.

Nous traversions le Champ-de-Mars côte à côte, mais c'étaient les pas de Kani qui guidaient les miens. À plusieurs reprises je me suis trouvé en avance sur elle. À la fois amusée et conquérante, elle continuait sa promenade dans des allées qu'elle voulait savourer en prenant le temps qui convient. Le spectacle des amoureux qui s'exhibait sur les bancs me gênait. Aujourd'hui encore, je n'arrive pas à m'y habituer.

– Qui vous a fait découvrir les Chi Wara ?

– Je ne suis pas spécialiste des Chi Wara. Vous seriez arrivée quelques minutes plus tôt, vous m'auriez trouvé devant une porte de grenier dogon ou un masque fang.

– Je sais, je sais.

Kani, l'air mystérieux, répondit à mon froncement de sourcils en me révélant, un sourire narquois aux lèvres, qu'elle m'avait effectivement observé avant de m'aborder.

– Figurez-vous qu'un jour je me suis trouvé ridicule devant un ami français qui m'interrogeait sur l'art nègre.

Deux chiens alentour aboyèrent plusieurs fois et je dus répéter ma phrase. En fait, il ne s'agissait pas d'*un* ami, mais d'un flirt.

Les chiens aboyèrent encore et nous croisâmes un prêtre en soutane, qui apprenait son bréviaire en marmonnant.

– Si nous allions ensemble devant le Parthénon...
– Que le ciel vous entende !
La plus grosse des bêtes tirait sur sa laisse et aboya une nouvelle fois tandis que le caniche effrayé courait devant sa maîtresse. Kani interrompait mon boniment de remarques étincelantes et pleines d'esprit.
– ... face au Parthénon, je pourrais passer des heures à vous commenter chaque détail... Si nous allions à Florence...
– Arrêtez, arrêtez, sinon je vais vous prendre au mot.
On eût dit que c'était à moi que le berger allemand en avait maintenant.
– Vous savez ce que c'est, la Chi Wara ?
Sur le plus naturel des tons je récitais en fait des notes que j'avais préparées pour mes futurs étudiants.
– Bravo !
Elle éclata d'un rire pur, et la dame au tailleur ressembla à une enfant naïve.
– Vingt sur vingt, monsieur.
Elle renversa la tête et je guignai la naissance des seins.

Vouragan avait repris la parole pour me résumer et pour interpréter les applaudissements que le public m'avait réservés. Dans l'ensemble, les questions de l'auditoire étaient faciles, presque décevantes. Quelqu'un a voulu savoir si toutefois l'enseignement des sciences, dans les langues africaines, ne se heurterait pas à des difficultés de vocabulaire. J'ai utilisé, sans en citer l'auteur, une réponse que j'avais entendu Cheikh Anta Diop nous donner, dans les mêmes circonstances, à la Cité universitaire, quelques mois auparavant.

J'ai eu plus de difficultés avec un garçon à l'accent malinké. À sa manière de scander le français, je croyais entendre la voix du mari de Kani. Je me souvenais de ce congrès de la Fédération où il avait tenu la vedette, en vue de préparer sa candidature à un poste du comité exécutif.

L'orateur nègre-nantais était sûrement un Soudanais ou un Guinéen. Ses phrases ressemblaient à celles d'un éditorial d'un journal d'extrême gauche. À la fin de chacune, un petit groupe au visage buté opinait fortement de la tête, comme si mon contradicteur avait prononcé des propos de grande sagesse. Il m'a reproché d'avoir été trop rapide sur les méfaits de l'enseignement colonial. Il s'est complu dans des anecdotes ressassées sur le *symbole*. Quand il décrivait les coups de règle sur les doigts et de chicotte sur les fesses, je souriais en pensant à tout ce que nous avions effectivement subi. En Afrique équatoriale, sans doute autant qu'en Afrique occidentale. Si nous avions eu des peaux blanches, nous en porterions encore les marques. Mais le jeune homme transformait nos petits malheurs en souvenirs héroïques.

À son avis, tout mon développement sur la Pléiade et Cicéron était malvenu : c'était là entrer dans le jeu des oppresseurs et faire référence à des modèles esclavagiste et féodal, tous deux de nature à semer la confusion dans les esprits. Son équipe l'a applaudi bruyamment et aussitôt un autre s'est levé en répétant plusieurs fois, à l'adresse du président qui voulait conserver la discipline dans les débats, qu'il enchaînait.

Il avait, malgré la température de la salle, conservé son duffle-coat et s'exprimait avec un accent caractéristique des Doualas. Il a commencé par dire qu'il *abordait* dans le même sens que le camarade qui venait de s'exprimer. Je n'ai pas pu distinguer le nom cité par le Camerounais, mais je n'avais pas fait erreur, l'orateur était bien d'origine mandingue. Le jeune homme au duffle-coat parlait en secouant une feuille pleine de notes sur laquelle il jetait, de temps à autre, un coup d'œil. Il m'a reproché de n'avoir jamais mentionné la lutte des classes ni fait référence à l'expérience positive et aux résultats objectifs des pays frères. Il s'est transformé en conférencier, parlant avec chaleur d'un ouvrage de Staline sur les langues et énumérant les succès de l'Union soviétique en Asie centrale. Le président l'a alors interrompu en lui demandant d'abréger. Le Camerounais a failli se fâcher et a rétorqué que la démocratie exigeait de la patience dans les débats, ou quelque chose d'approchant. Son groupe a aussitôt applaudi. Beau joueur, le président a mis son nez dans ses papiers et fait semblant de ne rien entendre. Je distinguais (ce que les Baroupéens ne savent pas percevoir) le sang qui lui était monté au visage. Le sourire de la petite rousse à la queue de cheval était ostensible, mais ce n'était plus de moi qu'elle se moquait et, perfide, je m'en suis délecté. L'étudiant au duffle-coat a poursuivi sa harangue en parlant du Viêt-nam. Le président lui a demandé de conclure.

– J'*en* viens, j'*en* viens, camarade.

Il a terminé en parlant avec imprécision d'expériences que Ruben Um Nyobé aurait initiées dans les maquis de la Sanaga.

Dans ma réponse, je me suis évertué à éviter l'affrontement direct en essayant de montrer que le petit groupe m'avait fait une mauvaise guerre.

Le président a repris la parole pour me remercier, vanter le triomphe des forces de progrès dans le monde et, après avoir fait conspuer le colonialisme puis l'impérialisme par une salle debout qui lançait ses poings vers le plafond, a fait prononcer des vivats autour des qualités héroïques de la Fédération. Comme des fidèles après le signe de la croix, nous nous sommes séparés.

Le Camerounais s'est précipité dans notre direction : il voulait poursuivre le débat, mais Vouragan m'a entraîné et s'est débarrassé de l'autre en l'assurant qu'il aurait l'occasion de me revoir.

La petite rousse avait rejoint Vouragan qui, avec des manières de chef du protocole, me l'a présentée. Je n'ai pas compris son prénom et n'ai pas voulu le faire répéter. J'ai eu l'impression qu'en me saluant elle pressait ma main plus fort qu'il ne convient et j'ai voulu garder la sienne dans la mienne, mais elle s'est dégagée et, le visage sévère, m'a regardé de la tête aux pieds.

Vouragan lui a pris le bras et nous a invités à aller arroser ça. La demoiselle marchait d'un pas de ballerine. Quelques instants après, j'ai su qu'elle s'appelait Fleur.

Au milieu de mes camarades de jeu, j'étais un parmi les autres. Rien ne me différenciait d'eux. Ni ma peau ni la forme de mes cheveux. Ils ne voyaient plus le vert de mes yeux. Du moins tant que le ciel était bleu...

Dès que l'orage éclatait, le tricheur, ou celui qui rageait d'avoir tort, retournait la situation en pointant du doigt le mal blanchi. Il haranguait les autres pour les rallier à sa cause, et l'arsenal de proverbes et de sentences que les tribus ressortent dès qu'elles sentent le groupe menacé, dès qu'il faut protéger le clan contre la peste ou la variole, rappelait qu'après tout les albinos devaient être sacrifiés et que les enfants sans père étaient fils de...

Je ne laissais jamais terminer la phrase et me servais aussitôt de mes poings. Surtout de mon front. On me surnommait le bélier, et j'en bombais le torse...

Les années passaient, et papa ne revenait pas de sa tournée. J'interrogeais ma mère et, invariablement, inlassablement, elle m'apprenait un nouveau conte où l'apologue faisait l'éloge de la patience. Et j'en restais là. Comment poursuivre ? Je croyais à ses réponses à cause de sa manière d'affirmer sa certitude et de la force qui s'enflait dans ses yeux. Et puis les enfants, même quand le duvet commence à leur pousser sous le menton, ne doivent pas mettre en doute la parole de ceux qui leur ont donné le jour. Le proverbe kikangoulou pertinent ressemble sur ce point exactement à ceux des autres langues.

Dans le village et alentour, en pays gangoulou comme sur les plateaux tékés, le sort de la femme abandonnée apitoie et réveille les convoitises. Mfoumous, Nga-mpougous, Ngantsiés, Ngaliens, venaient demander la main de la fille de Nzorobé. Ils avaient à tour de rôle offert le sel, les couteaux, les étoffes aux couleurs de papillons, les pagnes en raphia, les barres otiéni, les anneaux maloua, les marteaux djounou et djounou-albalgi. Le vin de palme avait de nombreuses fois coulé en cascades et le molengué avait terrassé les plus résistants. Certains des prétendants avaient ajouté aux présents traditionnels des dames-jeannes de vin nabao et, l'un d'entre eux, une boisson roupéenne couleur de tabac dont le nom était difficile à prononcer.

Tantôt respectueuse, tantôt moqueuse, Ngalaha les avait tous repoussés d'un mouvement de lèvres insultant. Elle était non seulement fille de chef, elle, mais surtout une épouse de Blanc, la femme du Commandant !

Un jour, au demeurant, le nouveau Commandant se déplaça. Il franchit la Nkéni et vint jusqu'à Ossio. Lorsque les éclaireurs annoncèrent son arrivée, tous les enfants du village s'attroupèrent et lâchèrent des cris de volière pour accueillir le chef. Et moi de participer à la fête en chantant et sautant avec eux :

– Moundélé, moundélé !

Soulevant la poussière sous leurs pieds nus, les porteurs soulageaient leur peine par une chanson d'effort. La même que celle qui flottait dans l'air au voisinage d'un chantier ou d'une plantation de l'État où le chœur des hommes était encadré de capitas qui faisaient siffler les chicottes. Dès qu'ils reconnurent la silhouette du casque kaki, mes camarades me poussèrent dans le dos.

– Va, fils du Moundélé, va, ko ! Voici ton père qui vient te rendre visite.

Notre chahut réveilla le Commandant qui, sur le tipoye, s'était assoupi, bercé par le pas des porteurs. Il était bien plus petit que mon père. Comment les Baroupéens consentaient-ils à obéir à un être à la taille de Pygmée ? Les enfants continuaient à me pousser et je tombai dans la poussière.

– Va, fils du Moundélé, va, ko ! Voici ton père qui vient te rendre visite. Demande-lui l'argent pour les cacahuètes.

Et moi de me mettre à trembler. Mon père n'était pas aussi voûté que ce gringalet. Il était, je m'en souvenais, droit comme les rôniers de la plaine d'Ossio.

– Va, fils du Moundélé, va, ko ! Ton père !

Un enfant me poussa dans le dos et je tombai à nouveau. Je regardai le sommet des arbres. Non, mon père avait, lui, une moustache rouge et luisante, comme en ont les hommes forts et puissants.

Le Commandant descendu du tipoye s'était avancé vers nous. Un frémissement passa dans la bande qui chuchota. Il s'arrêta devant moi et me posa la main sur la tête. Tous voulaient le toucher. Toucher sa peau de cochon gratté pour voir si c'était naturel, si c'était de la viande, du liquide ou de la peinture ? Vérifier, comme le prétendaient certains conteurs, qu'elle pouvait déteindre sur la nôtre.

– Comment t'appelles-tu ?

Je regardai autour de moi.

– Toi, mon petit, comment t'appelles-tu ?

– André. André Leclerc.

– Andélé, Andélé Léclair, répétaient mes camarades en pouffant de rire.

Le regard du Moundélé s'attarda sur mes haillons et mes pieds nus. L'air absent, il hocha la tête.

– Et moi, c'est Eta Joseph.

– Et moi, Ossibi Ferdinand.

– Et moi...

– Eh, les gosses-là ! Quittez là. Voyez pas que c'est le Commandant ?

De sa chicotte, le capita fouetta dans notre tas, et c'est une envolée de moineaux piaillant qui s'enfuit dans tous les sens. Avec eux, je me sauvai, avec eux je piaillai du plus aigu de ma voix.

– Toi, eh ! toi l'enfant-là, s'égosillait le capita affolé en me pointant de sa chicotte, reviens !

Je me réfugiai derrière mes camarades. Le capita se radoucit.

– Toi, le petit moundélé-là, viens ici.

On me poussa dans sa direction. Je résistai et tombai pour la troisième fois. Non, ce n'était pas mon père ! Mon père, leur répétais-je, était droit comme les rôniers de la plaine d'Ossio. Je me relevai en pleurnichant et me mis à courir vers le fond du village, du côté des hautes herbes qui protègent les tombes des chefs. Non, ce n'était pas mon père, enfin ! Mon père avait, lui, une moustache rouge et luisante comme en ont les hommes forts et puissants.

Vouragan me rejoignit et m'entoura les épaules de ses bras déjà robustes.

– N'aie pas peur. Je suis là. Prends ce grigri dans le creux de la main, et nul ne pourra t'atteindre.

Quand nous sommes entrés au *Pot-au-lait*, Mouloudji terminait l'un de ses succès. Aussitôt le juke-box a donné une chanson d'Eddie Constantine dont un groupe s'est mis à reprendre le refrain.

Vouragan s'est dirigé vers une table où attendaient déjà quatre filles. La petite rousse à la queue de cheval de la conférence, et trois autres qui devaient être également des étudiantes.

Après un sourire sec, la petite rousse a fait la tête. Vouragan, avec un bagou de marchand dioula, a dédramatisé l'atmosphère. Mais la petite rousse a insisté. Ses amies et elle attendaient depuis plus d'une demi-heure !

– Si tu crois qu'c'est marrant, a-t-elle déclaré sur un ton exaspéré.

Elles avaient dû subir les avances des gars de la table voisine... Et Fleur laissait deviner la fin de sa pensée en balançant la tête et secouant la main, comme pour l'égoutter. Vouragan prenait un air détaché.

Moi qui le connais comme si je l'avais fabriqué, j'observais du coin de l'œil combien cette scène de ménage en miniature le ravissait.

Il m'avait souvent répété sa devise. Ne jamais se présenter à l'heure à un rendez-vous. Au contraire, faire attendre. Faire attendre, bien, bien, bien ! Pour mater la fille, d'entrée de jeu, bien comme il faut. Après ça (après la chose-là, surtout !), vous lui collez à la peau et vous pouvez dormir l'esprit serein. Car même si un autre homme tente de la droguer avec je ne sais quel fétiche pour vous la ravir, dès qu'il pénètre sur le terrain réservé, wa ! la fille se réveille, l'expulse et court toute nue, jusqu'à* tu la calmes avec ton vigoureux.

– Tu comprends, ici, sous ces climats, nos fétiches n'ont pas leur puissance naturelle. Donc il faut jouer avec la *pisychologie*.

Et Vouragan touchait son front de l'index.

– ... car la *pisychologie*, c'est la sorcellerie fortifiée par la science.

J'ai essayé d'endosser la responsabilité du retard.

– Même sans vous il aurait trouvé le moyen de ne pas être à l'heure, a rétorqué Fleur.

Quelqu'un avait remis Mouloudji. De sa voix enrouée, il poussait une complainte moins belle que celle qu'il chantait quand nous étions entrés dans le café.

Petit à petit, nous avons fait connaissance. Fleur était maîtresse d'internat au collège moderne de jeunes filles et avait obtenu la moitié des certificats de sa licence de lettres modernes. Nous nous lançâmes dans une discussion facile à imaginer sur les avantages et inconvénients comparés de poursuivre des études dans telle faculté plutôt que dans telle autre.

Vouragan a sorti des pièces de sa poche et s'est dirigé vers la boîte à musique.

Le regard de Fleur me gênait. J'avais l'impression qu'elle recherchait quelque chose sur mes vêtements. Ses yeux inspectaient avec attention mon costume, ma chemise, ma cravate, et son front se plissait.

Je resserrais le nœud de ma cravate.

– Longogna ! cria Vouragan.

* Il traînait sur le *à*.

– Fouta, ko !

Je tendis la main, et Vouragan y déposa un billet de cinq cents francs.

Fleur haussa le sourcil et nous toisa comme pour nous demander de répéter.

– Ah ! excusez-nous de parler *en langue*. Ça fait du bien, de temps à autre. Toi qui as l'habitude de traduire d'une langue à l'autre, explique-leur, déclara, seigneurial, Vouragan.

– Pas facile. *Longogna*, littéralement, c'est le caméléon. Mais le caméléon n'est pas, chez nous, le symbole de l'opportunisme. Sa capacité à changer de robe, aussi vite et fréquemment, est, pour les Bantous, un signe de suprême élégance.

Fleur hochait la tête. Je me demandais si elle était sincèrement intéressée ou bien si elle n'accueillait pas avec indulgence des propos qu'elle trouvait, finalement, bien insignifiants.

Elle a porté alors son verre pansu à la bouche et a lentement avalé une gorgée qu'elle savourait en fermant les yeux comme si le goût de l'alcool allait l'aider à retrouver un souvenir étrange.

– Lorsqu'on interpelle quelqu'un en lui criant *longogna*, c'est donc comme de siffler d'admiration. L'autre répond alors qu'il faut payer. (*Fouta !*)

Le Commandant a d'abord demandé à voir ma mère. Avec l'interprète et l'Oncle Ngantsiala, ils se sont assis sous l'arbre à palabre. Se glissant et disparaissant prestement, les femmes sont revenues avec des bouteilles de molengué. L'Oncle Ngantsiala a versé un peu de vin de bambou dans chaque calebasse et a rincé le fond des récipients. D'un geste d'officiant, il a laissé tomber quelques larmes de liquide dans la poussière. Puis il a rempli à ras bord chacun des couis. Avant de boire, il a encore fait couler du liquide couleur de lait sur le sol et a prononcé les formules sacrées. L'interprète a fait le même geste, mais pas le Blanc.

– Yéhé !

Scandalisée, la volière a crié en désordre, puis nous avons plaqué nos mains devant nos bouches pour arrêter net le jaillissement des cris stridents et dissimuler nos dents.

Les hommes étaient en train de boire quand Ngalaha accompagnée d'Olouomo s'est présentée. Elle était vêtue de son pagne indigo aux motifs bleu ciel. Quand elle s'en drapait devant moi, je lui disais qu'elle était jolie, jolie, plus jolie que toutes les fleurs de la forêt et que, lorsque j'aurais atteint sa taille, j'irais déposer devant la case de son père une dot aussi haute qu'une montagne pour obtenir sa main. Ce pagne était un souvenir du Commandant Suzanne et suscitait l'envie des autres femmes du village. Il rehaussait ses traits de princesse.

Le nouveau Commandant a regardé Ngalaha des pieds à la tête et de la tête aux pieds. Lorsqu'elle est arrivée à sa hauteur, il s'est levé et lui a tendu la main. Elle a hésité un moment, a donné la droite tandis que la gauche tenait l'avant-bras de la main qui saluait. Le visage et les yeux respectueusement baissés, elle a plié le genou sans toucher le sol.

Les enfants autour de moi chuchotaient, essayant d'interpréter le mystère de la palabre qui se déroulait sous le mbongui. Ils faisaient référence aux histoires étranges que chacun avait entendues sur les coutumes et comportements des hommes à la peau de margouillat.

– Ahan ? Yéhé !

Et nous mettions nos mains devant nos bouches.

Là-bas, sous le mbongui, les hommes parlaient, si c'est parler. Le Blanc beaucoup. L'interprète un peu. Ngantsiala beaucoup. L'interprète quelques mots et, quand la parole revenait au Commandant, le jeu reprenait dans l'autre sens. Le Mouroupéen transpirait et s'épongeait avec un chiffon blanc qu'il sortait de sa poche. L'un de ses boys l'éventait consciencieusement tandis qu'un autre lui versait de l'eau d'une dame-jeanne clissée qu'ils avaient emmenée du poste et tenaient à l'ombre : un verre de molengué dans l'estomac constitue le maximum de politesse que le Blanc puisse concéder.

– Faudrait pas que nos boissons lui pourrissent le ventre. Même l'eau de sa dame-jeanne-là, c'est pas de l'eau pamba*, c'est l'eau de Mpoto.

– Ahan ?

– Vrai de vrai !

* L'eau plate.

– Yéhé !

Et, stupéfaits, nous plaquions nos mains sur nos bouches.

– Et si tu lis leurs livres, tu peux devenir commandant.

– Même avec notre peau ?

– Même... Paraît que les livres peuvent la changer...

– Non, la peau ne change pas. Regardez Éboué... C'est l'âme qui...

Là-bas, sous la véranda, Ngalaha, la tête couverte d'un pagne, dans l'attitude de la Vierge meurtrie, se taisait. Quand venait le tour de Ngantsiala de répondre, il regardait ma mère et déchiffrait dans ses yeux la signification des reflets qui jouaient discrètement avec la lumière. Alors, il reprenait la parole, et je lisais l'acquiescement dans les yeux de Ngalaha. Nous étions trop loin pour entendre les paroles de mon Oncle. Mais, au mouvement de ses lèvres, je devinais le timbre de sa voix, le rythme de son discours, coloré et riche de proverbes, qui brusquement ensoleillaient les imaginations. J'imaginais le regard chargé de mépris qu'il laissait choir sur l'interprète car lui, Ngantsiala, avait fait ce métier-là au service du seul vrai Commandant : celui d'avant !

– Veux dire, hein, que quand tu bois l'eau de la dame-jeanne-là tu deviens sorcier tellement ta tête elle est devenue savante.

– Or que c'est comme ça ?

– Comme ça, même ! De l'eau grigri !

– Quand tu as bu l'eau de Mpoto-là, tu deviens pour toi gaillard, gaillard, plus gaillard que les guerriers du Ngalien*.

– Ahan ?

– Tu peux gifler sans problème le nègre le plus fier. Si tu le tapes, il te regarde comme un homme ligoté par

* Chef, chez les Bagangoulous.

le diable, et la fièvre de la peur le saisit. Il te dit merci seulement. S'il essaie de te répondre, le tonnerre gronde et le dissout automatiquement en des milliers de morceaux plus petits que le sel fin. Immédiatement, là même, sur place, comme je te dis !

Et celui qui nous tenait sous le charme de son savoir se tranchait la gorge de l'index, qu'il secouait pour en faire tomber la goutte de sang.

– Alors tu le bottes élégamment... On vient, on le ramasse, on le jette et on pleure matanga* jusqu'à quand la nuit fatiguée demande pardon et s'en va pour elle.

– Ahan ?

– Vrai de vrai !

– Yéhé !

Et nous posions nos mains sur nos bouches.

La palabre s'était interrompue. Ngantsiala et ma mère se retirèrent, abandonnant là le Commandant, son interprète, le boy éventail, le boy dame-jeanne et les *mboulou-mboulous*.

– Veux dire, hein...

– Dis seulement.

– Veux dire, hein... Si tu bois, pour toi, l'eau de la dame-jeanne-là, est-ce que ta peau change de couleur ? Est-ce qu'elle change comme la sienne (un petit index me pointait) ou est-ce qu'elle devient aussi comme celle du margouillat ? Est-ce que les cheveux se déroulent comme la barbe de maïs ? Est-ce que les yeux prennent la couleur du chat ?

– Ça, j'ai déjà dit. Mais si tu deviens malin, malin, jusqu'à ce que la force et la méchanceté tremblent dans ton corps, clair que tu peux plus être nègre encore, ho.

– Ahan ?

– Si j'aime les ancêtres !

* Veillée funèbre.

Il se tranchait à nouveau la gorge du doigt et crachait dans la poussière.

– Yéhé !

Et, ouvrant des yeux de pleine lune, nous posions nos mains sur nos bouches.

Le boy-éventail continuait à rafraîchir l'air, s'attachant maintenant à chasser les premiers moustiques. Ma mère s'était retirée dans la case des femmes. Le Commandant s'était endormi, et sa bouche émettait des coassements de crapauds-buffles. Et nous éclatâmes de rire comme une volée de chauves-souris apeurées.

Ngantsiala rendait compte à l'assemblée des Anciens, sous le mbongui.

– Quand tu prends la couleur du Blanc, tu peux plus boire, ni n'samba, ni molengué, ni boganda. Si tes lèvres touchent une boisson nègre, tu tombes, tu meurs et Dongolo Miso dévore ton âme.

– Triste, oh !

– Triste, même !

Ngantsiala et les Anciens poursuivaient leur palabre, le visage impassible, en faisant force gestes. Le Commandant continuait à ronfler sur un rythme de moteur.

– Pour sauver ton âme, il faut atteindre la forêt sacrée. Seul. Sans boy, sans *mboulou-mboulou*. Il faut y écouter le chant de la femme louba. Alors, si par chance un chasseur te perce d'une flèche plongée dans le sang d'oiseau, alors tu reprends la couleur que Dieu t'avait donnée à ta naissance. Alors seulement, la folie t'abandonne, tu retrouves la langue maternelle et, comme les ondes invisibles qui rythment les va-et-vient saisonniers des bêtes, une étoile, la nuit, te ramène au village de la famille.

– Avec le savoir et la puissance ?

– Ah ! C'est mieux de tout oublier.

– Ahan ? Yéhé !

– Je jure ! (Le doigt tranchait encore la gorge, on fermait les yeux, le visage inspiré, et on crachait sur le sol.) C'est mon père qui m'a dit, ho !

Et, les yeux hagards, nous regardions l'horizon.

La palabre a duré jusqu'à ce que le soleil, poussé par la brise, rougisse et s'apprête à glisser entre les rôniers de la plaine, comme chaque jour avant le retour des moustiques. Le Commandant s'est réveillé et a montré des signes d'impatience. L'interprète a écouté la foudre sortir des lèvres du Blanc dans une attitude de boy. Puis il s'est, bravache, dirigé vers les mbongui pour interrompre les Anciens dans leur délibération. L'Oncle Ngantsiala s'est levé et lui a lancé un proverbe. L'interprète, en bégayant, s'est excusé, a expliqué qu'il exécutait son travail et a négocié avant de revenir, minable, près de son Commandant. Ngantsiala a craché par terre et a déclaré que le pays était foutu : il n'y avait plus de vrais interprètes.

Quand la palabre a pris fin, les ombres s'avançaient vers le village. L'Oncle Ngantsiala a écouté, les yeux fermés, les dernières conclusions des Anciens avant de prononcer les formules sacrées. Il s'est d'abord dirigé vers la case des femmes et a appelé ma mère, qui en est sortie vêtue du même pagne indigo et la tête couverte, toujours accompagnée d'Olouomo. Le Commandant a fait apporter une malle. Un dernier entretien a eu lieu entre le Blanc et l'Oncle Ngantsiala, sous les yeux de Ngalaha. Le Commandant a remis la malle à ma mère.

Vint le moment où les lucioles balisent l'espace de leurs clignotants. Le Commandant s'est dirigé vers la marmaille agglutinée autour de moi. Vouragan me protégeait comme il me l'avait promis et je serrais de toute la force dont j'étais capable un grigri dans le creux de ma main.

– André Leclerc ! André Leclerc !

De sa voix de fausset, le Commandant a appelé plusieurs fois. Nous n'avons pas attendu. Pendant que chacun me recherchait pour me pousser en avant, en criant « Andélé, Andélé ! », Vouragan m'avait déjà entraîné à l'écart, et nous nous étions glissés hors de la mêlée pour nous réfugier derrière la case des femmes, inquiets de nous trouver si près des tombes des Ancêtres. Le Commandant a allumé sa lampe torche et a dirigé le rayon vers les yeux des enfants. Alors tout le village a poussé une clameur d'horreur, et les gamins ont détalé pour aller se mettre à l'abri, qui dans une case, qui dans les herbes, qui derrière un arbre.

Les *Carnets de voyages* du médecin César Leclerc fourmillent de détails précis et captivants sur la colonie du Moyen-Congo. À travers sa description des lieux et de la vie, c'est tout le Congo d'aujourd'hui qui revit. Les Blancs de la colonie qu'il décrit ressemblent à ceux de notre enfance. Je suis étonné par sa curiosité envers les indigènes. Ce n'est pas un troupeau d'esclaves sans âme et sans intelligence qu'il peint, mais des êtres dont il s'aventure même à vouloir expliquer certaines des coutumes. Deux fois sur trois, il commet à ce sujet des contresens, mais l'intention qui guide sa démarche a de quoi irriter les colons. Malgré une lecture critique rigoureuse, je n'ai relevé aucun jugement révélateur des préjugés racistes que nous sommes habitués à entendre au pays. Sans doute parle-t-il souvent des « sauvages ». Mais son utilisation de ce vocable est plus proche de celle des philosophes du siècle des Lumières que de l'insulte de la période contemporaine. Il n'échappe bien sûr pas à un sentiment de supériorité qui légitime son sens du devoir national : civiliser les malheureux nègres ! C'est, dans le contexte, un péché véniel.

En revanche, le soin et la sympathie qu'il accorde à l'élucidation de certaines coutumes m'ont quelquefois conduit à réviser mon propre point de vue sur des pratiques que j'ai tendance à juger sévèrement.

Ainsi des nombreuses pages qu'il consacre à la description de statuettes et de masques qu'il qualifie d'objets d'art. Il en arrive à être étonné du plaisir qu'ont les populations à lui en offrir, quelquefois sans exiger un cadeau en échange.

J'ai dû relancer plusieurs fois Ngantsiala dans la recherche des origines. Je ferai grâce du long passage où il s'attarde sur le temps du fameux Mbaoum que je pense avoir identifié. L'absence de ce morceau ne gêne pas la suite du récit.

– Niain, niain ?

– Niain !

Après Mbaoum, ce fut le Commandant Suzanne. C'est par le fleuve que surgit l'homme à la crinière de feu.

Le soleil après la tornade !

Interroge le sage Ossibi d'Etoro, écoute les chants des griots de M'Bé, de Makotimpoko, d'Abala, ou de Ngambom', tous te diront que de Mouroupéen bon comme Suzanne, la mémoire gangoulou n'en connaît pas un seul. Pose la question en kitéké, en kikouyou, en kimbosi ou dans la langue des Bamoïs, le même mouvement de tête te répondra.

Si je peux te le décrire ? Et comment donc ! C'est comme s'il se tenait devant moi. Vois ta tête dans l'écho du regard, c'est sa tête même. La différence est dans la couleur des cheveux. Ta mère t'a donné la nôtre. Les siens étaient rouges. Comme le soleil tel que tu le vois précisément à cette heure derrière les palmiers, côté

Djoué. À part les cheveux, tout le reste des traits de ton visage sont les siens seulement.

Le Commandant était long, long, long, comme le papayer-là, derrière toi. Ses cheveux,... j'ai déjà dit. Ses yeux ? Couleur pondou*, avec des lueurs semblables à celles du lion. Au premier coup d'œil, on reconnaissait l'ascendance. Si gaillard et téméraire était l'homme-là que même le vent de la tornade ne savait pas faire trembler sa paupière.

Tu connais la plaine d'Ossio. La vaste savane parsemée de rôniers royaux qui s'étend loin, loin, loin, de ce côté-ci de la Nkéni. Elle était hantée par un mauvais génie. Une espèce d'éléphant géant à tête et pattes de tigre qui, pour attirer sa proie, empruntait les traits d'une jeune fille louba, ces femmes de l'autre rive du fleuve, hautes comme un athlète mâle et dont les muscles sont si longs et délicats que l'envie de les caresser vous saisit aussitôt. On dit (ici chuchotements et clin d'œil), on dit que les lèvres de leur sexe sont plus larges que celles de ta bouche. Comme on leur enseigne de surcroît, dès la puberté, comment pratiquer l'art du bonheur sur la natte, il n'est pas d'homme, ce qu'on peut appeler homme-homme, pour leur demeurer insensible. Le guerrier le plus maître de lui-même défaille dans leurs bras.

– Niain, niain ?

– Niain !

– Si tu veux que l'aîné dévoile le passé et t'instruise en te reliant aux ancêtres, commence par lui offrir un bon repas.

Je commandai un autre whisky. Dès que l'Oncle Ngantsiala fut servi, son œil brilla. Il versa une goutte de la boisson sur le sol, puis avala une rasade.

En ce temps de terreur, donc, les femmes abandon-

* Feuilles de manioc (vert).

nèrent les plantations. Elles n'osaient plus aller à la rivière. Les hommes de la tribu avaient reçu consigne de ne s'aventurer, dans la plaine d'Ossio, qu'en groupe égal ou supérieur à sept. Sept guerriers armés de sagaies et de flèches empoisonnées.

– Niain, niain ?

– Niain !

Yéhé, héhé, yéhé, héhé... Mais quand les génies interrompent le sommeil de l'homme et font lever des flammes dans leur esprit en susurrant seulement le nom de la femme louba, alors l'adolescent ne pense plus qu'à fuir la maison des parents, le père de famille à prendre ses armes et son barda pour partir en voyage. Même le vieillard sent se réveiller en lui les grondements du sang juvénile. Quel philosophe, quel Dieu même pourrait résister à l'appel du plaisir qui gratte la peau comme si des chiques s'étaient glissées dans l'ensemble du corps ? Et cela, nos ennemis de l'autre tribu-là le savaient. Ils possèdent – ces primitifs ! – la connaissance la plus avancée dans le maniement de ces charmes. Ne me regarde pas comme ça. Vous, les enfants d'aujourd'hui, vous voulez ignorer les lois du rapport entre le sang et le cœur. Ignorez, ignorez, vous finirez bien par constater. Vous pleurerez alors, mais pas une goutte d'eau renversée ne remontera dans la calebasse. Malgré la loi roupéenne, malgré vos un seul pays, un seul ceci, un seul cela, un seul quoi quoi-là, les gens des tribus d'au-delà de la rivière demeureront des gens de fourbes tribus. Ils ne nous pardonneront jamais d'avoir séduit les femmes les plus belles de leur terre.

C'est au cours du premier séjour nantais que j'ai découvert Paul Robeson. Combien de fois n'ai-je pas réécouté dans la chambre de Vouragan chacune des chansons du disque comme pour les apprendre par cœur. Dès que la voix de basse s'élevait, j'abandonnais ma lecture pour me recueillir.

Au début, je me laissais porter par la puissance de la voix du chanteur. J'aurais juré avoir déjà entendu ces airs auparavant, en une époque oubliée de ma propre enfance. Leur musique faisait pénétrer en moi une sensation de bien-être et je ne savais si c'était mon esprit, mon cœur ou mon corps qui goûtait les délices d'un calme apaisant.

Puis, à force de repasser le disque sur le Dual dernier modèle, je finissais par en caresser les paroles, et le message que j'y découvrais ajoutait encore au plaisir de ma cure.

Je revenais souvent à un morceau simple et trop court.

There's a man going round...

Une voix inquiète signale qu'il y a un homme en train d'effectuer des rondes et de noter des noms. L'homme prend le nom du frère du chanteur et laisse ce dernier le cœur meurtri. L'homme prend le nom de la sœur du chanteur et laisse ce dernier le cœur également meurtri. Et chaque membre de la communauté autour de lui est l'un après l'autre fiché. Puis plus rien. Pas d'autre développement. Pas de réponse à l'angoisse dans la nuit.

On dirait quelque chose de l'histoire de notre enfance.

> *There's a man going round,*
> *Taking names,*
> *Taking names...*

– Un mythe des Bamanans évoque un personnage divin...

La voix de Kani était de velours. En fermant les yeux, on eût dit d'une Mouroupéenne. À sa manière d'ouvrir la bouche, de laisser pendre la lèvre inférieure, à l'expression de ses yeux qui semblaient soudain regarder par-delà les choses, elle me rappela mon institutrice du CM2.

– Chi Wara... (elle hésita un moment), un être mi-homme, mi-animal.

Elle m'adressa un sourire où elle plaidait l'indulgence.

Il aurait enseigné aux Bamanans la récolte des céréales. Son symbole est l'antilope, dont on porte le masque dans les pantomimes qui suivent les concours de travail à la houe...

Sa peau avait la teinte de la calebasse.

La voix de Kani prenait, petit à petit, les inflexions de ceux qui récitent une prière ou un poème brûlant.

– Ce ne sont pas des statues. Peut-être des masques...

Elle disait la création des Bamanans, leur geste, leurs dieux, leurs cieux, et sa voix devenait incantatoire. Et, au fur et à mesure qu'elle me révélait les origines et l'intimité de son peuple, se diluait l'accent des bords de Seine. Les *r* étaient roulés, devenaient rocailleux, et les mots retrouvaient la valeur des accents toniques perdus. Je percevais le froissement des boubous, sentais l'odeur de la kola, son goût parfumait ma salive.

– Ce ne sont pas des statues. Peut-être des masques. Mais ils ne cachent rien. En fait, des coiffures. Pour bien les apprécier (un rictus d'irritation), il faudrait les voir en mouvement. Quand on danse pour vénérer Chi Wara...

Savait-elle donc encore danser à la Bamanan ?

Elle portait son tailleur gris perle avec l'allure d'un PDG, mais avait conservé le port de tête des princesses mandingues.

C'était un samedi de saison nouvelle. Les arbres reverdissaient. La lumière et la température ressemblaient à celles de chez nous peu après les premières heures du travail.

J'ai vu la princesse mandingue fermer les yeux, respirer fort, peut-être même s'étirer avec discrétion. On eût dit qu'elle collait son corps contre la nature en renaissance et s'emplissait de ses parfums.

Place de l'École-Militaire, elle m'a dit qu'elle prenait le bus. J'allais dans le sens opposé. En vain, j'ai cherché en elle un signe révélateur du regret de notre séparation. Elle m'a tendu le dos de sa main, à la manière de ces dames qui souhaitent qu'on y dépose un baiser. J'ai vu briller un anneau à son annulaire, mais, selon Vouragan, cela ne veut rien dire.

En arrivant à la Cité universitaire, le concierge m'a remis un message de mon flirt d'alors. Elle ne pouvait venir, comme promis, ce soir-là. Contrairement à toute attente, je n'en éprouvai aucune contrariété. J'avais envie de solitude.

Vouragan avait tout organisé. Je devais opérer mon choix parmi les trois amies de Fleur. Il me le dit en kigangoulou, faisant remarquer au passage qu'il respectait ainsi les règles de l'hospitalité de notre tradition. Il aurait dû comprendre ma réaction car, à plusieurs reprises déjà, je l'avais entretenu de Kani. Il haussa les épaules.

La brune au visage fragile me rappelait Danièle Delorme. Mais beaucoup plus maigre. Sa voisine, au contraire, aurait pu, sans dommage, lui faire don de la moitié de ses fruits. Consciente de l'avantage, elle mettait en valeur son buste, aussi majestueux qu'une proue de navire, en se tenant droite, comme à la séance de gymnastique. Elle jouait habilement de ses lèvres épaisses et framboise. Ses cheveux soleil étaient remontés en chignon, à la manière d'un obélisque. On aurait pu, par sa silhouette, la confondre avec la Simone Signoret de *Casque d'or*.

Je poursuivais la conversation entamée avec Fleur sur les avantages et les désavantages des études à Paris et sur la vie de province, quand Vouragan m'interrompit pour me dire en lingala que Simone Signoret en pinçait pour moi. Elle n'était pas à mon goût. Mais comment m'en expliquer à Vouragan ? Je me suis contenté de sourire et de prendre un air désintéressé.

– C'est pas mon genre.

– Couillon !

J'ajoutais que son côté croqueuse de mâles m'effrayait.

– Triple couillon ! As-tu déjà goûté à de la blonde ?

Je n'aimais pas qu'il parlât des filles comme les colons des négresses.

– Et tu voudrais rentrer au pays sans y avoir goûté ? Ce serait comme de n'avoir jamais trempé ses lèvres dans un verre de champagne...

Des rires d'oiseaux fusèrent.

C'est de moi que devaient se moquer les filles. J'ai resserré, une fois encore, ma cravate et me suis levé pour aller aux lavabos. En partant, j'ai vu les lèvres framboise de Simone Signoret se saisir lentement de la paille plantée dans son verre et sucer avec délices un lait grenadine onctueux. Elle m'a regardé des pieds à la tête, comme si elle m'insultait. Peut-être qu'elle aussi avait remarqué quelque chose dans ma mise...

J'ai noté sur mon agenda le jour où Kani me suivit dans ma chambre à la Cité universitaire. C'était un après-midi. Nous devions aller au cinéma voir un film dont elle avait lu une critique favorable. J'ai prétendu avoir mal aux pieds à cause de mes chaussures neuves et je l'ai invitée à faire un détour chez moi, pour les changer. Là, nous nous sommes attardés.

Cabotin, j'ai d'abord récité Césaire sur un fond de guitare.

Je me souviens de l'odeur de frangipanier et d'ylang-ylang qui montait par bouffées de sa nuque. Mêlée à celle des pollens dans l'atmosphère, elle était plus grisante qu'un mariage de vins. Sans un geste, respirant à peine, elle a écouté, la lèvre entrouverte et lourde, monter de ma gorge l'air kigangoulou qu'Olouomo me chantait dans les moments de chagrin.

Quand j'ai déposé ma guitare, elle n'a pas applaudi et c'était mieux ainsi.

Et tout le reste fut simple et naturel.

Chaque geste, chaque caresse, chaque baiser fut échangé, comme annoncé dans les prophéties. Nul sculpteur ne saurait polir les formes de son corps de reine, dilaté par le désir. J'ai commencé par me prosterner et lui ai baisé la pointe des pieds. Mes lèvres ont exploré et mes narines humé lentement chaque espace de sa peau jusqu'à la racine des cheveux. Chaque fois que, depuis lors, je sens l'odeur de frangipanier et d'ylang-ylang, me reviennent les encens de cette messe de plein jour. Dans la chambre chaude, un frisson courait sur nos peaux. Quels dieux surent, dans ces instants brûlants, guider mes doigts pour reconstituer les gestes du pianiste faisant monter les volutes de la mélodie sacrée ? M'effleurant de ses doigts minces, Kani répandait sur ma peau des caresses qui déréglaient mon souffle. Je l'ai soulevée et posée en travers du lit. Mais le sol eût été aussi doux. Du bout des doigts, je la déboutonnais avec lenteur, sans secousse, mais j'avais envie d'arracher son linge car un brasier ravageait les barrières de la sagesse. Je l'ai déchaussée, puis j'ai baisé la vallée chaude de la plante de son pied. J'ai mangé le galbe de son mollet. Comme un museau de chien qui cherche sa piste, j'ai remonté jusqu'au creux de la pastèque. Ma chevelure lustrait son ventre avec douceur. Un goût de mandarine amère inspirait ma langue de mille promenades habiles et m'arrachait des prières oubliées. Heureuse et surprise, elle m'a relevé la tête, comme une coupe vers les lèvres. Elle avait le visage bouleversé.

Je ne me lassais pas d'explorer la peau de satin nuit. Ses caresses apaisaient comme les alizés, puis relançaient la fièvre d'harmattan avant de calmer à nouveau les braises ardentes. Marche après marche, un étage après l'autre, nos chairs gonflées comme des voiles où s'engouffrent les vents gravissaient la gamme divine en harmonieux accords qui dévoilaient la forêt, ses orgues, ses bruissements, ses odeurs et ses mystères. Que mon pas fût régulier et lent ; que, sans annonce, j'osasse l'entraîner aux surprises d'une brusque inspiration ; portée par ma tension jusqu'au zénith de sa splendeur, son corps noué au mien, dans notre vol au-dessus des montagnes, elle louait les éléments libérés. Ne dites pas que ce fut sacrilège de chanter alors alléluia ! Quel cœur de bête, quel criminel eût osé stopper l'envol de l'oiseau de neige.

Lorsque, ayant puisé abondamment dans les sources chaudes qui dormaient en moi, elle se fut abreuvée à plaisir et qu'emportée par mes élans la belle aux chevilles fines, la sœur aux reins d'enfant, exaltée et brûlante dans les flammes que je nourrissais sournoisement, affirma dans un éblouissement que c'était ça la vie, une lame de flot salé lécha le foyer de ma poitrine. Et la voix qui poussait ce cri de victoire avait le timbre des chanteuses de jazz à la fin des cantiques.

Ce n'était pas à l'amant qu'elle s'adressait ainsi. Indifférent, l'enfant du fleuve poursuivait la cadence de son pas ferme et tranquille, riche d'illuminations incandescentes. Elle laissa s'échapper le cri de l'être sur les marges des cieux et je lui fis don de plus de bonté encore. Elle lut mon cœur dans mes yeux et le sentit dans mes gestes. Il n'y a pas à en rougir. Son cri ensemença la chambre de lucioles, de fleurs, de marsouins et de jets d'eau. Répondant à son appel, des vents et des flammes montèrent de mes hanches, dans ma poitrine et dans ma gorge, et ce fut grand désordre.

Le Commandant parti, une fièvre inhabituelle parcourt les cases comme ce courant qui trotte entre la chair et la peau juste avant l'orage. Le tam-tam cogne et insiste pour convier le village à venir s'assembler. Coups, coups, coups. Coups assourdis, mais lancinants. Une, puis plusieurs femmes hululent. Le tam-tam poursuit son roulement démoniaque comme pour convaincre jusques aux sages et aux vieillards de se dresser pour venir damer le sol de la place aux veillées. Il y a un rythme du tam-tam qui ressemble aux mots que glisse le démon déguisé en jeune homme, à l'oreille de la femme vertueuse.

Eh, Kongo gbwa !...

Le youyou des femmes confine à l'hystérie. La grande pleureuse excitée, et poursuivie par le batteur du long tambour, ferme les yeux et se met à tourner, les bras déployés en ailes d'avion ; se met à tourner comme la poussière que soulève le vent avant la tornade. Le tam-tam éructe. Hommes, femmes et enfants se mettent à secouer les reins.

Eh, Kongo gbwa !
Eh, Kongo gbwa !
Eh, Kongo, Kongo gbwa yaho !

L'Oncle Ngantsiala a ouvert la cantine offerte par le Commandant et en distribue le contenu, dans l'ordre, suivant une règle préétablie, à chaque chef de clan assis autour de lui en rang d'oignons.

Eh, Kongo gbwa !
Eh, Kongo gbwa !
Eh, Kongo, Kongo gbwa yaho !

Ma mère est venue dans le noir me prendre par la main. Mais je veux continuer à danser, moi.

– Allez, viens. Tu ne vois pas l'heure ?

Je lui montre mes camarades de jeu en train de se griser de leurs pas.

– Eux, ce sont des sauvages ! Toi, tu es un fils de Blanc.

Ces paroles me gênent. Il ne faut pas traiter ainsi les siens, même le temps d'un orage sans lendemain. Et je me mets à pleurer bien fort pour que mes tantes m'entendent. Une explication s'ensuit entre elles et ma mère.

– Ah ! Ngalaha-là, toi aussi. Laisse l'enfant s'amuser, ko !

– Laisse-le danser. C'est à cause de lui que le vin coule ce soir et que la joie emplit nos cœurs.

– Laisse-le danser. Laisse-le introduire le pas de la tribu dans son corps. Laisse faire la nature et la force du rythme pour qu'une fois à Mpoto il n'oublie ni l'odeur de la peau noire ni ses sœurs qui dorment sur la natte.

Eh, Kongo gbwa !
Eh, Kongo gbwa !
Eh, Kongo, Kongo gbwa yaho !

– C'est votre fils ou le mien ?

– C'est notre fils à toutes !

– C'est l'enfant de la famille, renchérit une autre.

Hormis ma mère, toutes poussent des cris de victoire. Elle me lâche brusquement, puis, raide et nerveuse, s'en va d'un pas rapide sans se retourner en direction de notre case.

Un danseur me bouscule, s'excuse et prend la posture de l'inspiré visité par la grâce.

Eh, Kongo gbwa !

Je rejoins mes camarades qui, entre les jambes des grands, piétinent le sol, gigotant des reins, au rythme des tam-tams.

Plus il procédait à mon inspection, plus Vouragan se montrait sévère.

– Voyez-moi, mais voyez-moi ce col ! Un vrai guidon de course.

J'ai essayé une de ses Cinquième Avenue. Nous avions à peu près la même taille.

– Évidemment, une souris pourrait passer là, admit-il en introduisant son index entre la chemise et ma pomme d'Adam.

C'était sans doute la raison pour laquelle les filles s'étaient esclaffées quand nous étions au *Pot-au-lait*.

– Mais t'en fais pas, avait-il poursuivi, avec un col bien glacé comme celui-là, personne ne s'en apercevra.

D'évidence, la différence entre le cou que j'avais hérité de ma mère et celui que Vouragan tenait d'un ancêtre buffle était visible à l'œil nu.

Il m'avait ensuite développé un long discours pour m'expliquer que mes choix vestimentaires étaient trop..., ah ! comment dire ?... trop *moundélé* ; alors que ces gens ne connaissent pas la véritable élégance ; que je devrais désormais me fournir chez un chemisier dont je n'ai pas retenu le nom et qu'il tenait pour le meilleur de Paris. Au coin de la rue Saint-Jacques et du boulevard Saint-Germain. Tous les nègres roupéens se fournissaient à cette adresse.

– D'ailleurs, pour tout te dire, la veste-là, c'est pas ça non plus !

De velours finement côtelé, je l'avais achetée, après de longues et patientes recherches, assisté de Kani, dans un magasin des boulevards. Sa couleur, un cognac assez chic, avait été choisie pour être assortie à ma peau. J'étais assez fier également du pantalon tabac que le vendeur avait appelé, avec au demeurant quelque gêne et en coulant vers moi un œil hypocrite, tête-de-nègre.

– Moi, poursuivait Vouragan, sur un ton professoral, je ne porte jamais de demi-Dakar*. Seulement des complets. Et toujours de couleur sombre. Comme Mendès France. Bleu, noir, gris, jamais de marron, jamais de demi-Dakar... Ouaï, ouaï, ouaï ! Qui t'a cousu ce sac-là ?

Vouragan avait déboutonné ma veste, lu sur la poche intérieure la griffe de mon magasin des boulevards et accentué sa grimace en retroussant, comme le couvercle d'une boîte de sardines qu'on ouvre, ses deux lèvres déjà fort épaisses.

– Mon cher, y'a deux tailleurs seulement, dans ce pays. Blima et Guy Taylor. Des artistes de la coupe ! Leur griffe, c'est comme la signature de Picasso sur un tableau. Chacun des costumes que les hommes-là créent ressemble à une rumba du pays ou à un morceau de Charlie Parker. Regarde la chute : un pincement de guitare hawaïenne ! Avec eux, plus d'épaule plus basse que l'autre, plus de bossu, plus de boiteux. Tout le monde devient Tarzan, mon cher. Quand tu passes avec Blima sur le dos...

Et Vouragan émit un sifflement qui en disait long et se mit à se déplacer dans la pièce en suivant un imaginaire tapis rouge, balançant les bras, relevant une épaule légèrement plus haut que l'autre, du pas majestueux du

* Les Congolais appellent ainsi une tenue deux-pièces.

dernier des fédérés pénétrant dans le saloon qui brusquement se tait.

–... avec Blima sur le dos, le colon ne peut pas te chasser du restaurant. Même pas le Belge de Léo. Qu'il le veuille ou pas, une force l'oblige à t'appeler monsieur.

Vouragan traîna sur le *eu* et se courba comme un Japonais de bonne éducation.

–Les gens ouvrent le passage devant toi ; les vieux de Poto-poto arrêtent leur conversation pour te considérer ; les gosses veulent se faire photographier à côté de toi ; les Baroupéennes se battent pour danser contre ta poitrine ou seulement s'accrocher à ton bras... Moi, je préfère Blima à cause de la noblesse du tissu, à cause de la magie des tons, à cause d'une certaine façon dans le dessin des épaules. Mais, je le reconnais, Guy Taylor, c'est aussi du grand chic.

Il mentionna aussi un certain Boghosian, rue des Écoles, chez qui je me souvins avoir accompagné un jour un ami sénégalais.

Pour l'Oncle Ngantsiala, il n'y a pas d'événement, de phénomène ou de malheur qui ne trouve son explication dans l'histoire ancienne des hommes ou dans celle de leurs semblables, les animaux.

Il m'a appris plusieurs contes qui dévoilent la source de mes infirmités. En fait, l'Oncle n'aime pas que j'emploie ce terme. Il préfère dire mes « coquetteries », lui.

Mes yeux, par exemple, n'ont pas, comme le prétendent les langues de vipère, des iris de chat.

Ce sont ceux du lion.

Et après avoir lancé quelques « niain, niain » et un chapelet de proverbes sacrés, l'Oncle relate deux traditions. L'une sur le lion dont serait issu le clan et l'autre sur Suzanne Leclerc en qui se serait réincarné le Prince de la savane. Et il décrit mon père avec sa crinière, sa vigueur et sa douceur. Vient-il vraiment, comme on le répète par paresse, de Mpoto ? Lui a plutôt tendance à penser que c'est du ciel, d'où l'aurait envoyé le lion créateur.

Non, je ne suis pas, selon lui, un fruit dépareillé. Encore moins un albinos. Les détails qui me différencient des autres gamins du village ne sont pas des signes de malédiction, mais la marque du sacré.

Un jour, j'irai dans des pays par-delà l'au-delà.

Un jour encore, les cauris le lui ont révélé, un jour j'en reviendrai et je planterai des arbres d'une essence inconnue, et leurs feuilles bruisseront, et les saisons changeront.

Un jour...

Il m'est arrivé d'y croire.

En fait, mon esprit ne retrouvera pas la tranquillité tant que je n'aurai pas obtenu ma consultation.

Et, au bout du fil, toujours le silence.

Le docteur Leclerc et sa famille ont dû quitter la ville pour le week-end.

En repliant le journal, je sais que je n'ai pas lu tous les articles. À peine parcouru deux ou trois. *Les Lettres françaises* m'agacent, ces dernières semaines. J'en ai vite fait le tour. À part les numéros que rafraîchit un éditorial d'Aragon, peu d'articles m'arrêtent.

– Un autre ? demande la serveuse, en ramassant l'argent sur la table.

Je consulte ma montre.

– Non, merci.

J'ai bu assez de café, ce matin. Il est surtout imprudent de s'attarder dans ce quartier. À tout moment peut surgir Vouragan, un nègre nantais ou même Fleur.

– Où pourrais-je me procurer des billets pour le match ?

Les journaux annoncent l'enjeu en première page. Depuis sa création, l'équipe de Nantes n'est jamais parvenue aussi loin dans les éliminatoires de la coupe de France.

– Des billets ?

Le visage de la serveuse prend une expression de stupidité. La même qu'adoptent mes élèves lorsque je les interroge sur la grammaire latine. Cette paysanne mal dégrossie m'agace.

La fille s'en retourne en faisant bouger des hanches qu'une jupe étroite moule.

– Eh ! Gégène, tu dois savoir où c'qu'on peut acheter des billets pour le match, toi.

Rare de trouver de telles croupes chez les Baroupéennes.

– Le match de c't'aprèm' ? demande en criant l'homme à la moustache.

Je hoche la tête.

– Ah ! ça alors. Dame, là-bas, à Malakoff. À l'entrée. S'il en reste...

Mimique de doute.

La Résistance de l'Ouest mentionne que Vouragan a été sélectionné. Je veux assister à son deuxième match en équipe professionnelle. Je pourrai le voir sans qu'il se doute de ma présence.

Outre sa passion pour les statuettes, les masques et les fétiches qu'il collectait au cours de ses tournées dans l'Alima, sur les plateaux tékés et sur la rive droite du Congo, le médecin César Leclerc fait, dans ses *Carnets de voyages*, des annotations sur nos chants qui diffèrent des clichés répandus dans la littérature coloniale d'alors et d'aujourd'hui.

> *« Fatigant, le voyage en pirogue. Fatigant le tam-tam lancinant du barreur qui tape avec un bâton le fond d'un bidon vide. Il rythme les coups des pagayeurs qui chantent pour se donner du muscle et de l'endurance. L'un chante un couplet, les autres reprennent en chœur. D'après la traduction de l'interprète, ce sont toujours des chansons improvisées sur l'actualité. Ainsi, hier, comme je les pressais d'avancer pour arriver à l'étape avant la nuit, ils ont chanté : "La madame elle nous dit" (solo), puis en chœur : "Tamboula, tamboula !" (avance, avance !), puis "le moundélé, le moundélé monênê" (le Blanc, le Grand Blanc), "le Commandant, le boy, le capita", etc., et toujours "Tamboula, tamboula, tamboula".*
>
> *» À Brazzaville, on m'avait dit que leurs chansons sont pleines d'allusions à la vie du pays. Très souvent, ils chantent. "Nous ramons bien. Le Blanc, en arrivant,*

nous fera un cadeau. Il achètera du sel au magasin", etc.

» Il semble qu'il y ait peu de variété d'un couplet à l'autre dans ces chansons et, à force d'en entendre une ces jours-ci, je l'ai apprise par cœur.

Olélé, madziba makassi

» Puis une phrase difficile à répéter, parce que prononcée très vite, comme dans un jeu. Ensuite ils reprennent :

Olélé, madziba makassi

» Pendant des heures et des heures. Mais quelles voix, quel sens du rythme ! »

Ngantsiala n'en finissait pas. Pour introduire le mythe de la femme louba, il passa par mille détours à mon sens inutiles. Il a égrené la geste des Bagangoulous depuis la première migration jusqu'à l'arrivée des Baroupéens.

Je saute par-dessus les siècles pour ne retenir de son récit que les passages relatifs à Leclerc. La tradition orale est souvent entourée de brumes. Ainsi est-il difficile de préciser, à partir du témoignage de Ngantsiala aussi bien que de celui de Ngalaha, si, lors de son séjour au Congo, Leclerc était un administrateur (le Commandant) ou bien déjà médecin.

– Niain, niain ?

– Niain !

C'était sous le règne de Ngalouo Ntsou.

Et passèrent d'autres lunes indiquant les saisons, l'une après l'autre, celle des pluies, puis la sèche, et régulièrement les Bagangoulous l'emportaient. De chaque campagne, nous ramenions des colonnes d'esclaves. Et nous choisissions d'autres femmes en butin. Et celles-ci, après nous avoir goûtés, oubliaient leur patois.

Yéhé, héhé, yéhé, héhé...

Nos voisins conclurent des alliances avec d'autres tribus, et toujours nous l'emportions.

Yéhé, héhé, yéhé, héhé...

Ils continuaient à jacasser que nous n'étions rien d'autre que des crapauds à l'apparence humaine pris en charge et protégés par des demi-dieux. Et ils comptèrent Ndion, Onké, Oko, Ondzé et Ndouniama braves, je te dis, parmi les braves.

Ils infiltrèrent sur nos terres des espions déguisés en voyageurs à qui nous offrîmes l'hospitalité suivant les règles. Ces cancrelats versèrent de la bile de caïman dans la sauce de Ndion, Onké, Oko, Ondzé et Ndouniama. Mais ce furent les esclaves goûteurs qui périrent.

Yéhé, héhé, yéhé, héhé...

Ils lancèrent les phacochères pour dévaster nos plantations, les rhinocéros, les buffles et les éléphants pour abattre nos cases. Nous nous relevâmes et ils vinrent déposer leurs sagaies à nos pieds.

Yéhé, héhé, yéhé, héhé...

Mais tandis que le griot chantait, le Commandant Suzanne – tu connais l'esprit roupéen – souriait et haussait les épaules.

Le cœur du Blanc est incrédule, mon fils.

Yéhé, héhé, yéhé, héhé...

Le Commandant Suzanne se leva, empoigna son fusil et désigna des guides. Alors le chef Eyala s'avança. Et, face tournée vers les cieux, il cracha dans la poussière, déclara que nous étions des hommes et cracha encore. Et tandis que le tam-tam roulait, que les femmes dansaient en poussant leurs youyous, Eyala entonna le chant des guerriers gangoulous. Et il dit que nous étions prêts à affronter des armées de tigres, de lions, de rhinocéros et de buffles ; que toutes les tribus réunies au-delà du pays batéké ne pouvaient nous asservir ; que même eux, les Baroupéens-là, avec leurs armes et leurs grigris que nous ne comprenions pas... Même si nous voulions, les Baroupéens-là, si nous voulions, ah ! si nous voulions..., mais la plaine des rôniers, non.

Et le Commandant Suzanne de se tourner vers les *mboulou-mboulous* sénégalais. Et ceux-ci de trembler. D'expliquer au Commandant qu'il ne faut pas blaguer avec les mystères des Noirs. Les Sénégalais se mirent à transpirer, transpirer, façon l'eau de cascade. Tous à l'exception d'un seul : Samba Moussa.

À leurs yeux en forme de bille, nous comprenions qu'ils apercevaient d'autres monstres encore au-delà de ceux que nous pouvions discerner.

Et le Commandant se dirigea vers la plaine des rôniers, flanqué de son fidèle Samba Moussa. Nous, retenant notre souffle, nous attendions sur l'autre rive de la Nkéni.

J'étais bien jeune, mais m'en souviens comme d'hier.

Nous entendîmes rugir le canon de son fusil. Sept fois. Puis sept fois encore, à cause de l'écho. Et, juste avant le coucher du soleil, il revint, le sourire aux lèvres, faisant tirer par ses laptots les dépouilles d'un éléphant, de deux lions et de plusieurs antilopes. Je l'ai vu de mes yeux vu.

Depuis, la paix n'a plus quitté ces terres.

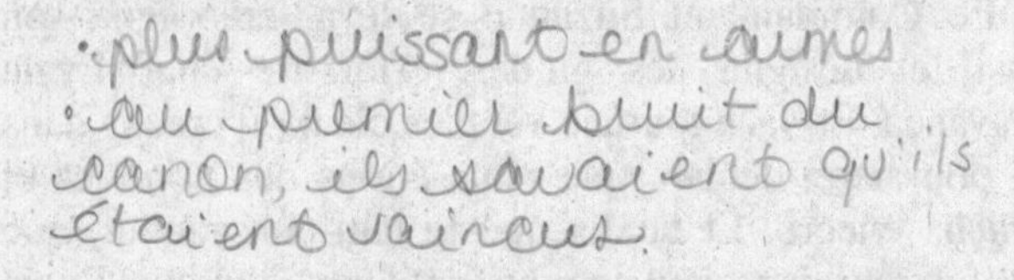

En revenant des toilettes, je rencontrai Vouragan au bar du *Pot-au-lait*. Il m'expliqua, en lingala, que ce n'était pas très délicat de payer devant ses invitées. Un enseignement de sa marraine. Alors... Il portait déjà sa main à la hanche droite, quand je l'arrêtai.

– Non, non, non, pas question...

– Comment pas question, tu es mon hôte, l'homme...

– Allez, quitte-là, entre membres de la famille, il n'y a pas d'hôte qui tienne. Ça, ce sont des notions de Mouroupéen.

– Mouroupéen toi-même ! Ce sont les Barapouéens, oui, qui veulent partager les frais, quand ils viennent loger chez leurs parents.

À chaque réplique, nos voix gravissaient un ton. Vouragan et moi animions notre dialogue de gestes vigoureux, et je lisais dans les regards des clients les plus proches une certaine inquiétude. Deux nègres allaient en venir aux mains, dans un lieu public, en plein centre de la ville !

Le garçon de café lança une plaisanterie qui fit rire la compagnie.

– Bon, cette fois je te laisse payer, concéda Vouragan.

– Quel est ce dialecte que vous parliez ? demanda le patron en me rendant la monnaie.

– Le lingala.

– Le li...

Il bégaya, tenta encore une fois en fermant les yeux, puis abandonna.

– C'est joli. Ça sonne comme de la guitare.

– Pas un dialecte, monsieur ! Une langue, corrigea Vouragan.

Et il avait raison. J'avais au bout des lèvres la définition que donne de l'une et de l'autre le Pr Barbier, mais Vouragan avait déjà repris la situation en main et, l'index levé, il infligeait un cours de civilisation congolaise au patron.

Il cita nos poètes du XIIIe siècle et nos romanciers dont Voltaire aurait déjà fait état dans un texte tout récemment découvert, mais que les colons avaient, bien sûr, pris soin de dissimuler. Il dit nos universités de l'époque précoloniale où, bien avant la Renaissance, des Arabes, des Grecs et des Égyptiens vinrent étudier la philosophie, l'algèbre et l'astronomie. Il expliqua, avec habile pédagogie, la différence entre le lingala classique et celui des rues – qu'on pouvait accepter de nommer dialectal –, lequel variait selon qu'il était parlé sur la rive gauche du fleuve, ou sur la rive droite avec des particularités sémantiques, suivant qu'on se trouvait dans la région de Mossaka ou, au contraire, dans celles de la Likouala-aux-herbes et de l'Oubangui.

– Ça a l'air vachement intéressant ce que vous me racontez là, plaça, dans une courte pause, le patron du *Pot-au-lait*. Où c'est-y qu'on peut lire des choses là-dessus ?

– Dans... dans... ahaha, merde alors !

Le frère me lança un regard de secours pour l'aider à atteindre quelque chose qui était là, juste à la portée de son doigt. Mais allez donc savoir...

– Ahaha, dis-moi ko, comment s'appelle-t-il donc déjà l'aut'là ?

– Quel l'aut'là* ?

– Tu sais bien. Celui qui a écrit *Les Voyages* et tout et tout... Toi-même, tu l'as cité hier, à la conférence.

– Delafosse** ?

– Non.

– Delavignette ?

– Non.

– Frobenius ?

– C'est ça même ! Frobenium.

Et Vouragan de repartir.

– Remarquez, reprit le patron, c'est pas pour moi. C'est trop compliqué. Pensez bien que si j'avais compris quelque chose aux bouquins, moi, je serais pas derrière ce bar. Mais l'un des oncles de ma femme... Qu'est-ce qu'il en sait lui, alors, sur les sauvages !... Du monde entier !... Ah, dame ça !

Le patron hocha la tête plusieurs fois pour rendre hommage à l'érudition du bokilo***.

– Alors si je pouvais lui offrir, au bel oncle, un livre de... comment vous dites là ?...

– Frobenium !

– Sûrement un Latin avec un nom comme ça !

– Presque. Un voyageur vénitien du XVIe siècle.

Corriger mon frère devant un étranger eût constitué une suprême insulte. Je préférai m'éloigner.

En rejoignant la table où nous avions laissé nos amies, j'entendais la voix de Vouragan dont la puissance lui permettait d'être écouté non seulement du patron, mais de toute la salle.

– Attention ! Justement nous n'étions pas des sauvages, nous !

* À partir d'ici, passage au lingala.

** Retour au français.

*** Beau-parent, en lingala.

Le patron s'est immédiatement excusé et a dit que Vouragan, c'était autre chose.

– « Civilisés jusqu'à la moelle des os », dit de nous Frobenium ! C'est la colonisation qui...

Et Vouragan développait une théorie sur l'aptitude des langues bantoues à exprimer les concepts de physique nucléaire. Je reconnaissais, presque au mot près, la réponse que j'avais fournie, lors de ma conférence à la section nantaise de la Fédération, réponse qu'au demeurant j'avais moi-même empruntée à Cheikh Anta Diop, sans, je le confesse, le citer.

Quand je rejoignis les filles, deux autres Africains s'étaient ajoutés à notre table. Malik, un Ouolof à la peau de soie qui semblait sortir d'une salle de massage et portait l'habit avec une élégance peut-être supérieure à celle de Vouragan. L'autre, un Camerounais, me faisait penser, avec sa forte mâchoire et ses lunettes à larges montures, à un masque tschokwé.

L'une des filles de la bande lui avait passé la main autour du cou. C'était sur Fleur que mon regard, comme une porte à battant, revenait avec insistance. Un nez retroussé et un regard boudeur sous un feuillage carotte en forme de *s*, quand on le regardait de profil. Des lèvres de mulâtresse au milieu d'une peau chair de poire. J'eus du mal à maîtriser la poussée du sang nègre. Pas nègre seulement. Il y a dans le sang roupéen une propension à la courtoisie qui n'est pas si platonique qu'on peut le croire. Je le notc, bien sûr, en double connaissance de cause.

Le masque tschokwé et son flirt se confiaient des secrets. Malik, qui s'était levé, se dirigea vers le juke-box et glissa plusieurs pièces dans l'appareil. La trompette de Sydney Bechet entama un lent barrissement. Plusieurs membres de la compagnie chantèrent à mi-voix les paroles du morceau pour faire état de leur culture et battirent la mesure de la tête.

Quand mon regard soutenait trop longtemps celui de Fleur, elle jouait avec son verre et avalait une gorgée.

– Allez les enfants, c'est l'heure d'aller au *France*.

Vouragan, retour de son cours de civilisation congolaise, tapait dans ses mains comme un chef scout dynamique. La fille, lovée dans l'épaule du masque tschokwé, l'embrassait dans le cou. Un frisson me parcourut le corps.

L'homme à la moustache discute avec un autre client à voix forte, comme s'ils allaient se battre. Je me replonge dans *La Résistance de l'Ouest*. Rien de captivant, sinon l'enjeu de la rencontre de football.

Il faut localiser le stade Malakoff et me passer de déjeuner. En arrivant quelques heures avant le match, je trouverai bien une place au guichet, ou, au pire, chez des revendeurs.

– Vous connaissez *Le Bignou* ? Tenez, c'est pas loin. Juste là, à côté. Sur la place du Commerce.

C'est Gégène, l'homme à la moustache, qui, du haut de son tabouret, s'adresse à moi.

– Vous voyez ?

Il descend de son siège et se dirige vers la porte.

De la tranche de la main, il fend l'air, devant lui. Ensuite, il repousse tout ce qui se trouve sur sa droite, puis il montre du doigt.

– Merci.

– De rien, mon gars.

Et il repart vers le bar, en marchant l'amble. Finalement, on dirait qu'il ne m'en veut plus d'avoir laissé mes yeux traîner sur la serveuse.

Avant d'arriver à la place du Commerce, j'aperçois une cabine téléphonique. Je ne l'avais pas remarquée lorsque je suis passé par là, il y a une heure. J'ai encore dans ma poche le jeton que je n'ai pas utilisé.

Espérons qu'il y aura, maintenant, quelqu'un à l'autre bout du fil !

La personne dans la boîte de verre fait semblant de ne pas me voir et poursuit une conversation avec un correspondant qu'elle a du mal à convaincre.

Le village continuait à se trémousser au rythme infatigable de l'orchestre. Ruisselant de sueur, sans jamais se faire relayer, sans le bénéfice d'une pause, les joueurs de tam-tam battaient leur instrument avec ardeur, arborant des sourires d'ivoire, à la lueur du feu de la place. Nous savions qu'ils tiendraient jusqu'au lever du soleil. Entre les jambes des adultes, les gamins piétinaient le sol et déhanchaient leurs corps. Qui répétant la manière d'un danseur célèbre, qui inventant, dans l'incendie général, des gestes à vous arracher des cris d'admiration. Vouragan et moi nous sommes arrêtés un instant. Profitant de l'ambiance, nous avons d'abord dérobé une tasse de vin, puis nous avons goûté à la boisson des Baroupéens. Étourdis, nous nous sommes assis pour reprendre notre souffle et jouir du spectacle.

Je me suis endormi contre le poteau d'une case.

Quand, agacé par les morsures de moustiques, je me suis réveillé, un peuple de possédés sous l'empire de secousses telluriques balançait de la tête, des épaules et des hanches, emporté par la frénésie de la cadence.

Danse des hanches, danse des pieds, danse trépidante, mystérieuse d'effets. Les têtes disaient oui, puis refusaient, acceptaient à nouveau, hésitaient, et recommençaient à dire oui. Danse des hanches, danse des pieds, danse en cadence.

J'étais gagné par la même fièvre et voulais me jeter dans le fleuve. Mais j'étais vidé.

J'ai pensé à ma mère et j'ai abandonné Vouragan, allongé de tout son long à même la terre.

À genoux, la croupe sur les talons, Ngalaha, à la lueur de la lampe à pétrole, examinait et rangeait en les pliant sa part des effets que le Commandant avait apportés. Elle s'est arrêtée et, absorbée dans je ne sais quelle méditation, m'a observé, silencieuse. Prêt à me faire gronder, j'ai baissé la tête. Sérieuse, le visage inspiré et mystérieux, elle m'a ouvert les bras et m'a serré contre son sein. Je sentais les battements de son cœur contre ma joue.

– Tu vois tous ces habits ? Tu les vois ?

Sa voix était voilée, et la flamme de la bougie éclairait mal la pièce.

– C'est pour toi. C'est le Commandant.

Des culottes et des chemises de toile. Quand je les aurais portées, j'aurais ressemblé aux Blancs de l'administration en miniature. Tenues kaki pour les jours de la semaine, blanches pour les dimanches et grandes occasions. Un casque aussi. Comme les Commandants et l'Oncle Ngantsiala. Ma mère tournait dans tous les sens un habit bleu à large col bordé de rayures blanches. Je n'aurais jamais osé m'en affubler. J'ignorais alors qu'il s'agissait d'un vêtement de marin.

– En tous les cas, je ne veux pas porter toutes ces choses.

– Pourquoi ?

– Ils sont remplis de fétiches roupéens.

Ma mère fronça les sourcils et se mit à inspecter méticuleusement chacun d'eux, fouillant les poches, le fond de la paire de chaussures en toile, retroussant les chaussettes une à une.

– Je n'ai rien trouvé.

– Les Blancs ont des sorciers qui cachent là où nos yeux ne savent pas voir.

– Mon fils qui parle comme un adulte ? Qui t'a dit ça ?

– Vouragan.

– Mais ces habits ne proviennent pas du Commandant. Il n'a fait que les apporter. C'est ton père qui les envoie.

– Mon père ?

– Il veut que tu ailles le rejoindre.

– À Brazzaville ?

– Plus loin encore.

– Sur la mer ?

– Plus loin encore.

– Au ciel, alors ?

– Non. Plus loin. À Mpoto.

– À Mpoto ? Yéhé, nous allons voir le pays où Dieu habite !

Si le tam-tam ne m'avait pas tant épuisé, j'aurais sur-le-champ exécuté la danse des guerriers victorieux.

– Et toi où sont tes habits ? Il te faut être belle pour aller là-bas.

Elle m'a indiqué son lot. Des pagnes en wax. Tous neufs, mais aucun aussi beau que sa tenue indigo d'apparat.

– À Mpoto aussi on porte les habits d'ici ?

Ma mère n'a pas répondu. J'avais vu un jour dans un vieux magazine jauni que feuilletait Ampion, l'ancien combattant, des photos de Mpoto. Les femmes et les hommes y étaient vêtus d'un accoutrement qui nous avait bien fait rire. Ampion s'était fâché et nous avait traités d'ignorants et de villageois mal dégrossis.

– Ces femmes-là que vous voyez comme ça, ce sont des élégantes. Leur tenue que vous trouvez ridicule parce que vous n'êtes jamais – bandes de sauvages ! – sortis de votre trou, eh bien ! c'est à cause du froid. Il fait, là-bas, plus froid encore que les matins de saison sèche.

Plus froid qu'à la saison sèche ? Qui pouvait croire Ampion ? Le bruit des canons et l'enfer du champ de bataille (il nous en parlait quand il avait bu trop de molengué et qu'il semblait secoué par d'étranges cauchemars) avaient dérangé le cerveau du malheureux.

Pour consoler Ngalaha, je me suis mis à l'interroger. Mpoto était-il vraiment près du ciel ? En profiterions-nous pour rencontrer le Bon Dieu ? Et comment ferions-nous pour ne pas tomber de si haut ?

– Moi, je n'irai pas à Mpoto.

– Pourquoi, maman ?

– Ton père ne m'y appelle pas.

J'ai bégayé.

– Le Commandant...

Elle s'est arrêtée, et j'ai distingué de la buée sur ses yeux qui rosissaient.

– Le Commandant est un menteur. Moi, je n'ai pas confiance en lui. C'est un méchant. Un Ndongolo Miso. D'ailleurs, n'a-t-il pas voulu me changer en cochon avec sa lampe torche ?

– Ton père a peut-être une autre femme, là-bas. Une madame.

– Et alors ?

– Les Blancs n'ont pas le droit d'avoir plus d'une femme.

J'ai serré ma mère dans mes petits bras et lui ai murmuré que je l'emmènerai, moi.

– Quand papa nous verra tous les deux ensemble, il nous prendra tous dans ses bras. Ses bras grands et forts pour nous accueillir et nous soutenir.

Je lui souriais et je lisais de la reconnaissance dans ses yeux humides.

J'ai bavardé longtemps, sans me fatiguer, sans la

lasser. Quand elle a repris la parole, sa voix avait son autorité habituelle.

– Ils disent que Mpoto n'est pas un pays étranger. Pas pour le fils du Commandant.

Elle m'a souri encore et m'a demandé de dormir. Quand je me suis étendu sur la natte, elle s'est accroupie à côté de moi et s'est mise à me caresser la tête.

– Andélé éhé ?

– Mama.

– Andélé éhé ?

– Mama.

– Tu me donnes tes cheveux ?

Sérieux, comme dans l'accomplissement d'un rite, je me suis dressé sur mon séant, j'ai arraché de ma tête une touffe invisible pour la poser sur celle de Ngalaha. Encore émue, mais rayonnante, elle m'a serré fortement contre elle.

Elle a fredonné une berceuse. Lentement, comme si elle réveillait un vieux souvenir et qu'elle devait faire un effort pour retrouver chaque note. Une mélodie proche de la plainte. Les paroles étaient étranges. Pas du kigangoulou. Même pas le kigangoulou fort que l'Oncle Ngantsiala et quelques savants du village utilisaient entre eux quand ils débutaient leur palabre en s'interpellant par des proverbes codés. Elle chantait dans la langue des complaintes d'Olouomo.

Après *Le Pot-au-lait*, nous sommes allés danser. Nous avons traversé la place Royale, puis gravi une rue commerçante.

– Nos Champs-Élysées, a déclaré Fleur d'un air moqueur.

Les flâneurs de la rue Crébillon étaient si nombreux et les trottoirs si étroits qu'il fallait souvent marcher sur les pavés. Les automobilistes irrités donnaient du klaxon pour nous rappeler à l'ordre.

– Ici, ça chauffe pendant le carnaval, m'a signalé Vouragan.

– Ouais, jeudi et dimanche prochains, ça va être la fête, les petites, a ajouté quelqu'un d'un ton enjoué.

Sur la piste du *France*, les couples frappaient le sol du talon, au rythme d'un paso doble. Si les hanches avaient su comment tanguer, façon bantou heureux, leurs pas eussent été ceux du méringué. Les murs résonnaient d'un air dont j'ignorais le titre, mais que j'avais entendu mille fois et dont je savais chaque note par cœur.

Nous avions été accueillis à l'entrée par un jeune homme en smoking et nœud papillon, aux épaules larges et à la poitrine de rugbyman, rasé et coiffé de frais. Il nous compta d'un index discret, fronça les sourcils, puis sourit d'un air entendu. Il s'adressait à Vouragan comme à une vieille connaissance, tout en lui donnant du monsieur, long, long, plus long que taille chewing-gum. Le vacarme que diffusaient les haut-parleurs l'obligeait à se pencher à la hauteur de l'oreille de Vouragan.

Sur la piste, pour rompre la monotonie de la marche, un danseur mondain d'occasion se figeait soudain dans une pose théâtrale. Le buste raide, légèrement cambré, il utilisait, d'un mouvement ample du bras, sa cavalière comme une cape de toréro effectuant des passes stylées, à l'endroit, puis à l'envers, à nouveau à l'endroit... Olé !

Et l'orchestre de reprendre le cri de victoire en lançant au public des sourires sucrés et complices. À ce signal les autres danseurs y allaient également de leurs passes, l'un en position tordue, un autre en bâton brisé, un troisième le buste parfait, le port de tête glorieux... Olé ! Et, d'un coup de talon, la farandole, changeant de sens, repartait dans une ambiance de cour de récréation. Olé !

Notre bande était trop nombreuse pour une seule table. On en joignit plusieurs. L'homme au smoking, dans un déploiement de charme, expliqua à M. Vouragan qu'ainsi placés, face à l'orchestre, nous avions un point de vue privilégié. Vouragan évalua la position d'un regard sévère et fit un léger mouvement de tête : ouais, ça pourrait aller. Le maître d'hôtel nous interrogea également du regard et, d'un sourire éclatant, nous remercia de notre compréhension.

Il y avait dans la salle quelques autres paquets de têtes crépues, toutes en bonne compagnie.

Traînant ses semelles, épaisseur sandwich, d'un pas dansant, la pointe des pieds légèrement ouverte en position de dix heures dix, Vouragan allait nonchalamment saluer chacun d'eux.

L'orchestre, vêtu de vestes grenadine aux revers lustrés, avait fière allure. Pour l'heure, les musiciens marquaient la pause. L'un d'eux plaisantait avec un client qui s'était approché de l'estrade.

Coincé entre Fleur et Simone Signoret, je sentis la cuisse de celle-ci raser la mienne. Aussitôt, le sang nègre se mit à bouillir. Vous vous y attendiez, bien sûr. Mais ne jetez pas la pierre au pauvre Noir qui frissonne sous l'effet magnétique des cheveux d'or. Ces femmes-là doivent émettre des ondes sur nos peaux. Un phénomène que même les clairvoyants ne parviendraient pas à expliquer. Une magie, je vous dis, aussi forte que celle des femmes loubas.

L'orchestre se remit à la tâche. Dès les premières notes, j'avais compris la danse : un slow. Fleur serra la main de Vouragan qui répondit par une pression des siennes. Hormis la zone du bar, la salle devint la proie des ténèbres. Une faible lueur rouge donnait aux musiciens des visages d'un film d'horreur. Les sourcils légèrement relevés, l'air blasé, Vouragan avançait vers la piste tenant Fleur par la main.

Simone Signoret remua sur sa chaise, et des effluves d'une eau de toilette à la mode montèrent à mon visage. Plus je la regardais, plus j'étais sensible à ses lèvres charnues et rouges, vives comme une chair de cerise, et me sentais emporté par un vent ensorceleur. Sur la piste, Vouragan s'était composé un visage de marbre.

Un Malgache est venu me demander l'autorisation d'inviter Simone Signoret. Chevaleresque, j'ai encouragé la femme aux cheveux d'or à entrer dans la danse. Elle m'a lancé un regard courroucé avant de faire gémir sa chaise contre le plancher.

Comme un revenant soudain surgi des eaux, il s'était présenté ruisselant un après-midi à l'heure de la sieste. Ses habits collaient à la peau, et il avait préféré se déchausser.

En fin de matinée, un violent orage avait fait craquer le ciel de part en part.

On eût dit que le garçon sortait d'un caniveau de la Madzoukou Tsékélé. Nous avions été récemment victimes de petits cambriolages. J'ai failli le chasser.

– Tu ne me reconnais pas ?

Son kigangoulou avait un accent amusant dont je n'arrivais pas à déterminer l'origine.

– Mbourangon, ton frère.

Et il me montra l'éclat de ses dents. Mbourangon, Mbourangon, Mbourangon, il y a beaucoup de Mbourangon chez les Bagangoulous ! Mon frère ? Ce n'est pas une marque de distinction. Sa tête aussi large qu'une noix de coco, ses fortes mâchoires et son cou de buffle lui donnaient l'allure d'un fauve. Je n'étais pas de cette faune, moi.

Ma réaction le suffoqua, il ouvrit des yeux ahuris, mais se ressaisit très vite et prit la parole en français.

– On m'a envoyé voir ma mère.

J'avais identifié l'accent : celui des gens de l'Oubangui. Mais je poursuivais en kigangoulou.

– Quelle mère ?
– Ngalaha. Marie Ngalaha.
J'ai fait un commentaire acide.
– D'où viens-tu ?
– Bangassou.
– Bangassou ?
– Là-bas.
Il montrait le ciel quelque part au-dessus de Mpila.
– Et qui t'envoie ?
– Ma mère.
– Ta mère ? Eh, toi-là, de la tête de qui tu te fiches ? Ta mère t'envoie voir ta mère ?
– Han ! C'est ça même.
– Et comment s'appelle ta mère ? La mère qui t'envoie voir ta mère ?
– Epon.
– Et toi, comment t'appelles-tu ?
– Mbourangon.
J'entendis s'élever des youyous de joie derrière moi. Puis la voix de maman en kigangoulou.
– Mbourangon, mon fils. Mbourangon le fils d'Epon. Jésus-Marie-Joseph !...
Il ne s'appelait pas encore Vouragan.

Après le slow, l'orchestre du *France* a joué un mambo. J'ai eu envie de me produire. Histoire de montrer à ces nègres nantais que j'étais à la mode. Mais qu'allait-il en résulter sans Kani ? Avec elle, les enchaînements deviennent simples et naturels. Si j'improvise, elle devine et anticipe mon pas. Et quand elle colle son corps au mien...

Fleur et Vouragan, revenus à leur place, dialoguaient dans la paix des vieux couples. Tandis que l'une des filles regardait l'orchestre, le visage sombre, légèrement romantique, la compagne du masque tschokwé, après avoir reposé son verre, battait la mesure de la tête en marmonnant des paroles qu'on n'entendait pas. Elle s'est arrêtée, a collé ses lèvres dans le cou de l'homme et a dû lui faire un suçon. Simone Signoret a fait trembler ses épaules au rythme de la batterie. Un couple de Nantais s'est levé, et une salle excitée les a applaudis.

– Wéhé !

Je n'ai pu retenir l'exclamation de la race. Pourtant, j'avais bien posé immédiatement ma main sur la bouche. Vouragan qui m'avait entendu éclata de ce rire qui, à Brazza, remplissait de rage nos professeurs du lycée Savorgnan parce que, grondaient-ils, ces manifestations bruyantes dénotaient le retour du naturel sauvage dont ils voulaient nous dépouiller.

Sur la piste, le couple audacieux exécutait des pas géométriques et des gestes saccadés à la manière de marionnettes. Fleur, d'un air entendu, m'adressa, pardessus la table, un sourire de sympathie.

– Ah ! l'homme, faut pas rire, déclara Vouragan qui s'était ressaisi. Il récite la leçon du cours de danse.

... pour danser,
Le vrai mambo,

Les joueurs de maracas, tout émoustillés, criaient en chœur.

Le vrai mambo !

Involontairement, le cavalier caricaturait une danse du ventre européanisée pendant que sa partenaire, dans une inspiration osée, essayait de faire trembler ses épaules de façon comique.

C'est vraiment beau !

Un sourire calme flottait sur les lèvres de tous les nègres nantais.

– On dirait une perdrix qui secoue ses ailes après la pluie.

Quand, tout à l'heure, Simone Signoret avait discrètement esquissé les mêmes mouvements, j'avais senti plus de style et de feu. N'eût été ses cheveux d'or, on eût juré qu'un réseau de sang nègre irriguait sa chair.

Le vrai mambo !

Aussitôt après la dernière note, l'orchestre invita le public à applaudir. La salle éclata. Les plus enthousiastes étaient les nègres nantais qui, aux claquements de leurs mains, ajoutaient des cris venus de Poto-poto et de Treichville, même de certains villages aux noms difficiles à retenir. La danseuse tomba dans les bras de son cavalier aussi essoufflé qu'elle.

– Et on les applaudit bien fort, hurlait le chef d'orchestre, imitant le nasillement d'un animateur de crochet radiophonique de Radio Luxembourg. Plus fort, encore !

Les nègres nantais exultaient et s'amusaient comme une classe en plein chahut.

– Bis, bis...

Le danseur mondain se courba et tira une révérence de mousquetaire. Sa compagne, les joues couleur de crevette, baissant la tête, saisit le bas de sa robe du bout des doigts et esquissa une génuflexion. Les bravos redoublèrent.

– Bis, bis...

Comblé par l'ambiance, l'orchestre se remit à l'ouvrage avec ardeur et conscience.

Le vrai mambo !

L'amie du masque tschokwé a battu la mesure de ses lèvres, de ses doigts sur la table et de hochements de tête amusants. Simone Signoret a fait trembler ses épaules au rythme de la batterie. Cette fois, j'avais bien observé. Oui, la fille-là avait dans la peau le feu du sang nègre.

C'est vraiment beau !

Dès les premières notes de la reprise, plus fiers que des kalcéïdrats royaux, tels des artistes d'une troupe de revue qui n'attendaient que le signal, la colonie des nègres nantais s'est levée. Le sourire aux lèvres, l'un frappant dans ses mains, l'autre fredonnant dans je ne sais quelle langue, un autre encore fermant les yeux et balançant les épaules, la bande, sans un mot, s'est mise à fêter la musique. Rêveur, j'ai eu l'impression que lesgestes des musiciens s'assouplissaient soudain. Le rythme devenait sensiblement plus naturel, plus entraînant aussi. Aucun des danseurs n'avait le même pas, mais tous étaient dans la cadence. La compagnie évoluait comme si le compositeur avait écrit la musique à l'intention d'enfants tristes éloignés de leur soleil. Sans regarder leurs pieds, sans toucher leur cavalier, les filles du pays, soudain devenues sœurs naturelles des étrangers, comprenaient le pas, évoluaient et virevoltaient comme si elles avaient été élevées, elles aussi, sur les rives de mon fleuve. Je reconnaissais chez les danseurs les pas du village. Danse de naissance, danse de semailles, danse de récolte, danse pour la lune, danse de mort, danse de la vie, le nègre danse pour dépasser le parapet des mots.

Le vrai mambo
C'est vraiment beau

Comment résister ? Il fallait se décider.

Ce n'était plus une danse de couples, mais la farandole d'une communauté en train de défiler. Je me levai également.

Sous son casque d'or, à deux pas de moi, Simone Signoret, hochant la tête au rythme de la batterie, souriait ainsi qu'une naïade qui rejoint les flots.

Elle m'avait pardonné.

Les Canaris l'ont emporté. On chante, on hurle, on s'égosille, on bat des mains et des pieds. Au coup de sifflet final, des feux d'artifice ont fusé dans les tribunes et un homme en collant jaune et vert, tel un joker propulsé d'un jeu de cartes, la mascotte du club à la main, est descendu sur la pelouse. Des trompettes bêlent comme des poires de vieux véhicules. Poin, poin, poin. Les voix éraillées d'un monôme poussent une note aiguë. FCN, oui, oui, oui, FCN, non, non, non, FCN...

Les gars joueront les quarts de finale !

On brandit chapeaux, casquettes et chemises, comme des bannières. À la langue près, je retrouve l'ambiance du stade Éboué quand les Diables noirs écrasaient le tout-puissant Englebert de l'autre rive. C'était la revanche de la ville banlieue sur les pyramides belges et nous chantions, sur des rythmes de rumba, que le petit pilipili* pique bien plus fort que le gros piment.

Lentement, le fleuve se dirige vers la sortie. J'avais, moi aussi, pris parti pour les Nantais. À cause de Vouragan. Dans cette chaleur où mon cœur bat le tam-tam des nuits d'initiation, j'ai envie d'entonner le refrain du club. À force de l'entendre, je le sais déjà par cœur. De temps à autre je regarde autour de moi, mais per-

* Piment, en lingala et kikongo.

sonne ne semble prêter attention à ces réflexes de fuyard.

Dans la rue, des cortèges se sont formés. Des jeunes gens en casquette aux couleurs du club haussent des banderoles où l'on peut lire des slogans proclamant la foi des supporters. D'autres se sont juchés sur des toits de véhicules qu'ils tambourinent du poing en rafales. Soudain, les cris s'amplifient. Une mêlée incompréhensible se forme et immobilise le courant. Tous les regards se tournent du côté du tourbillon. Et voici que surgit, porté en triomphe, dans les premiers rangs de l'orchestre, un nègre coiffé du chapeau à large bord des coupeurs de cannes : Dikabo !

Et moi aussi j'ai rêvé, jadis, de devenir champion. Comme l'étaient, au pays, Chango, Faignond et Didier ! En gagnant leur sélection au CAB, ces métis avaient obtenu la carte de citoyen français. Les Blancs les respectaient. Quand nous jouions, aux heures de récréation, dans la cour du lycée Savorgnan, nous changions d'identité le temps de la partie : les Ben Barek, Baratte et Jonquet de Brazza faisaient autant de merveilles que les vrais. Moi, j'étais de préférence Yeso (Yeso Amalfi), et Vouragan Bonifaci (nous prononcions Bonifachi), à cause du rythme dans les syllabes...

Quel cœur j'aurais mis dans ce métier ! Chaque matin, le premier sur la pelouse d'entraînement, jonglant avec le ballon, sur le pied, sur la cuisse, sur la tête, j'aurais donné l'exemple du travailleur modèle. J'aurais eu droit aux vivats. Les journaux m'auraient photographié et consacré leur première page. J'aurais fait fortune à en jeter des billets par-dessus mon épaule, comme le Commandant lançant ses pièces aux enfants du village. J'aurais pu offrir à Ngalaha un petit commerce, sa maison en dur et un voyage en France... La case aurait été pleine de parents et d'amis, voyageant avec moi, grâce à moi...

Riant aux éclats avec les dents du nègre Banania, Dikabo lève les bras au ciel en signe de victoire. Chef d'orchestre scandant le triomphe, de ses ailes immenses il bat la mesure sur l'air des lampions. Je pourrais m'approcher et lui tendre la main. Vouragan me l'avait présenté d'abord à l'occasion de notre rencontre à Paris, puis lors de mon premier voyage ici. Il est l'auteur de buts décisifs. L'un sur une action personnelle où, dans le style des danseurs de conga, il a dribblé la ligne de défense et s'est infiltré dans le mur en dansant la rumba, tourbillonnant, donnant le tournis qu'on aurait cru que c'était la force des fétiches. L'autre de la tête, sur un centre tendu de Vouragan. Mais c'était encore lui qui avait fait la passe à l'avant-centre pour l'ouverture du score. À la fin de la partie, Baratte, l'international de Lille, est venu lui serrer la main.

Vouragan doit se trouver dans les environs. Dikabo est peut-être même juché sur l'une de ses épaules. À moins que la marraine, Mme de Vannessieux, soit aujourd'hui dans la ville et que, mère poule, elle ait, fidèle à ses instincts, kidnappé son filleul dès la sortie des vestiaires. Prudence donc, car si je ne veux pas rencontrer mon frère, il faut me tenir à l'écart du champion.

Je ralentis et distingue un peu plus loin un abri. L'arrêt du bus qui m'a amené au stade. La rue, sur des centaines de mètres, appartient à la foule. C'est elle qu'il faut suivre. Après tout, j'aime, à certaines heures, ces ambiances de liesse. Rien à craindre ici. Je suis loin des regards de mes collègues et de mes élèves. Le cortège va sûrement se diriger vers le centre de la cité. De là-bas, je saurai retrouver mon chemin. Je me noie dans la multitude qui ressemble maintenant à une foule de manifestants.

Nous longeons un canal et empruntons un trajet que je ne reconnais pas.

Des rails.

Effectivement, le bus était passé dans les alentours de la gare.

Nous franchissons un pont en dos d'âne qu'encadrent les coupoles des Biscuits LU. Puis le château. Je n'ai toujours pas réussi à le visiter. C'est dans ces parages que j'ai aperçu une cabine téléphonique. J'ai encore le jeton de téléphone du bistrot.

Là-bas, à l'autre bout du fil, le silence persistant. Étrange ! Si les Leclerc ont passé le week-end à la campagne, ils devraient, à cette heure, être rentrés.

Vouragan arriva au milieu de l'année. Dès qu'il prenait la parole, les élèves pouffaient à cause de son accent d'Oubangui. Le professeur tonnait alors et nous disait qu'au lieu de voir la paille dans l'œil du voisin, nous ferions mieux de vider le nôtre de la poutre* qui le bouchait. Parce que notre accent..., et il balançait la tête pour indiquer que ça ne valait pas mieux. Lorsque Vouragan expliquait qu'il venait de Bangassou, toute la classe répétait Bangassou, Bangassou, Bangassou. Les sons du mot nous amusaient et nous le baptisâmes Bangassou, qui nous semblait plus facile à prononcer que Mbourangon, véritable nom que lui donnèrent ses parents.

Plus tard, je l'entraînais avec moi dans l'équipe de l'Étoile du Congo dont nous fîmes les beaux jours aux début des années cinquante. Lui au poste d'inter gauche, moi à celui de demi-centre. Ses feintes conquirent le public et firent sa renommée sur les deux rives du fleuve. Terreur des défenses (le petit-là, vraiment !), il se payait le luxe de dribbler à la file cinq ou six joueurs, déséquilibrant chacun d'eux sans le toucher, qu'on s'exclamait que l'enfant-là avait ramené de chez les Sangos un fétiche qui brouillait la vue de l'adversaire,

* En fait, nous entendions « poudre ».

sans quoi ce n'était pas dieu possible de danser ainsi la biguine, la balle au pied ! Que, pour le stopper, il fallait envoyer chercher dans la Likouala ou la Sangha des écorces d'un arbre aux racines aussi grosses et longues qu'un saurien et que les Pygmées seuls savaient reconnaître. Un journaliste, dans son commentaire du lundi, déclara que l'enfant-là, lorsqu'il se saisissait du ballon, c'était comme un ouragan sur le gazon. Les auditeurs reprirent la formule : l'enfant-là, un véritable Vouragan ! À chaque dribble, la foule dans les tribunes poussait des exclamations, se levait et répétait Vouragan, Vouragan, Vouragan, jusqu'à ce que but s'ensuivît.

Il a, par la suite, officialisé la chose. Un jugement supplétif lui a permis de rectifier tous ses papiers. En même temps qu'il se rajeunissait de deux ans, il se faisait nommer Vouragan.

Je rêve souvent de forêts oppressantes. Les troncs des arbres se divisent à leur base en sauriens innombrables dont une partie du corps s'enfonce dans la terre. Des reptiles infinis que le vent balance se déguisent en lianes, attendant qu'une proie naïve s'accroche à elles pour l'enserrer et l'étouffer. Je connais leur jeu. Ngantsiala m'a prévenu et je l'ai moi-même observé dans un rêve antérieur. Des toiles d'araignée géantes tendent un réseau de nasses neigeuses et menaçantes. L'ululement des chouettes se rapproche tandis qu'un vacarme d'oiseaux étranges éclate en un chœur d'ennemis sarcastiques en train de ricaner. Il faut sortir de ce monde étouffant. Nul ne s'est jamais rêvé cadavre. Mais un cauchemar peut vous tuer. Personne ne me l'a dit, mais je le sais déjà.

Il me suffit pour échapper à la mort dans le sommeil de me secouer fortement. En cas d'insuccès, crier, hurler, ricaner encore plus fort que les oiseaux de mauvais augure ! Et la bouche qui ne veut pas s'ouvrir. Crier, hurler ! Et la bouche finit par s'ouvrir et aucun son ne sort de la gorge ! Et la bouche s'ouvre, mais un courant d'air s'y engouffre, descend en pression insupportable jusqu'au fond de l'estomac. Aïe ! Comment passer du cauchemar à l'état de veille ? Gémir pour que, de sa natte, maman m'entende ! Mon cœur se serre. Le bruit de pas inconnus fait craquer des brindilles. Nouvel effort pour m'éveiller, mais le décor ne me quitte pas, s'englue sur ma peau et, comme une toile d'araignée géante, m'emprisonne dans ses rets.

– On approche du fleuve !

La voix de basse qui chuchote possède l'accent des gens de Makotimpoko.

Finalement, le cri de délivrance jaillit de ma poitrine.

Une main sur ma bouche arrête mon hurlement. Ce n'est plus un cauchemar, mais la nuit réelle. Un réseau de rigoles coule de ma chevelure sur le visage.

On a dû profiter de mon sommeil et de celui de mes parents pour m'enlever et m'emmener en esclavage. Sans doute les hommes-panthères. Ceux qui vont vendre le produit de leurs prises à Bolobo.

C'est ainsi qu'ils opèrent. Quand les dernières braises du feu du village expirent, leurs museaux se mettent à renifler dans les venelles. Ils repèrent les cases où dort de la chair fraîche. Ils font brûler des herbes de sommeil. On connaît des cas où, pour signer leur forfait, ils ont rasé les têtes des hommes les plus forts sur leur couche. Aussitôt après le rapt, ils traversent le fleuve et, leurs proies sur l'épaule, ils se fondent dans le brouillard. Demain, je serai à Bolobo et lorsque, plus tard, je rencontrerai les miens, je ne les reconnaîtrai plus, je ne comprendrai plus notre langue. Quand la secte des Andzimbas enlève le corps d'un homme ou d'un enfant, elle le vide de son âme pour y introduire une autre, étrangère, neuve, ignorante du passé de l'ancienne enveloppe. Les esclaves sont d'anciens hommes libres qui ont oublié la vie d'hier. Si un membre de leur famille les reconnaît et les interpelle, ils l'insultent et courent se protéger dans la case du maître.

Je mords dans la main qui me bâillonne et j'entends le cri de ma mère.

L'homme qui me porte à califourchon sur le dos s'arrête, détache le pagne qui m'enveloppe et me pose à terre. La lune brille maintenant et me permet de mieux distinguer les formes de l'univers où m'a conduit je ne sais quel génie : on dirait une clairière. Maman se penche et place son index sur les lèvres.

– N'aie pas peur, n'aie pas peur.

Elle fredonne une chanson de la langue de sa mère. Je suis à nouveau le bébé qu'elle berçait sous la véranda de la case du Commandant.

– Où allons-nous ?

L'homme qui tout à l'heure me portait sur son dos s'éloigne, écartant les fourrés avec des gestes de boy-chasseur qui a senti l'odeur de l'éléphant. Une autre femme est à côté de ma mère et parle avec la voix d'Olouomo.

– Mama ?

– Andélé !

– Mama ?

– Andélé !

Elle passe ses mains dans mes cheveux et se met à fredonner la chanson mbochi qu'elle avait chantée pour m'endormir, au village.

– Mama, dis mama ! C'est le voyage pour Mpoto ?

– Je t'expliquerai après. Dors, dors.

Elle s'assied sur un tronc d'arbre abattu par un orage et me prend dans son giron. Elle continue sa chanson d'une voix étouffée.

L'homme qui me portait est de retour.

– Le fleuve n'est plus très loin et les passeurs nous attendent.

Je n'ai jamais entendu sa voix auparavant. Il s'exprime en kigangoulou mais avec l'accent des gens de Makotimpoko.

Ma mère s'est levée et nous avons repris la route. L'homme m'a posé à califourchon sur ses épaules. Mes talons éperonnent sa poitrine nue. Je voudrais avoir, quand je serai grand, des pectoraux aussi larges. Sans doute un allié de la famille. Nous avons dû marcher depuis des heures, car il transpire, et l'âcre odeur de son corps me fait suffoquer.

Avec les premières lueurs du matin, le fleuve ressemble à une immense tôle étincelante.

Avant de monter dans l'embarcation, le chef des piroguiers s'est avancé vers ma mère et a palabré. De dessous son pagne elle a sorti une chaussette du trousseau que le Commandant avait apporté de la part de mon père. Elle l'a retournée, secouée et des pièces ont tinté dans sa main. Elle en compte sept qu'elle remet au passeur et deux autres qu'elle tend à ma monture qui joint les mains, fléchit le genou et reste sur le bord de la rive jusqu'à ce que nous nous embarquions.

Je veux me retourner pour regarder la rive, mais Olouomo houspille l'enfant avec vigueur.

En voyage, Andélé, il ne faut jamais regarder en arrière. Sans attendre, pour conjurer le sort, ma mère et Olouomo se signent à la manière des Baroupéens et récitent des formules que je ne comprends pas. La tradition conte le sort de ceux qui ont transgressé l'interdit. Dongolo Miso peut surgir alors et faire fondre le malheur sur les têtes des voyageurs. Debout dans l'embarcation, les piroguiers, avec des mouvements de balayeurs, tranchent l'eau de gestes énergiques. À chaque coup de pagaie, le liquide halète, et le tronc d'arbre évidé glisse sur l'onde fendant bravement d'un claquement de langue la vague couleur de thé.

Vouragan m'expliqua que sa marraine, arrivée depuis la veille, l'attendait à l'*Hôtel de la Duchesse Anne*. Il ne pouvait pas se permettre de la négliger plus longtemps et me laissait le soin d'inventer l'explication appropriée à l'intention de Fleur.

– Non, pas inventer. Adapter seulement la vérité à la sensibilité de la petite.

À mon retour dans la salle du *France*, Malik le Sénégalais, yeux fermés, visage congestionné, joues gonflées et rondes comme deux boules de billard, buvait au goulot d'une trompette dont l'embouchure projetait des sons cuivrés vers le plafond. D'autres nègres nantais avaient occupé l'estrade et utilisaient les instruments de l'orchestre. Les notes de la trompette étaient brèves et énergiques.

O When the saints,
Go marching in...

À chaque solo de Malik, une clameur parcourait la salle. Les mains tapaient au rythme sourd que donnait le Camerounais de la batterie. Fleur, enchantée, frappait également les paumes de ses mains.

O yes, I want to be
In thaaat number...

Le masque tschokwé croquant le micro imitait avec assez de bonheur la voix et même la mimique de Satchmo. Je tendis la main en adressant un sourire à Fleur. Guillerette, elle se leva et avança devant moi vers la piste en fredonnant la chanson.

Le masque tschokwé croquait de plus belle dans la boule de sorbet gris, poussait entre deux phrases un grognement de satisfaction et levait les yeux vers le plafond comme s'il avalait un vin délicieux.

Quelques pas seulement et je mesurais la science de la cadence de ma cavalière.

O When the saints,

Elle connaissait le rythme du pas de la tribu.

– Blow, blow, susurraient, tapant en cadence dans leurs mains, les nègres sans cavalière.

Tapez, tapez. Plus vous taperez, plus mon ventre se chargera d'ondes électriques. Tapez, tapez, elle a besoin de ce rythme pour garder le pas ferme. Tapez, tapez, je ne songe qu'à moi. Tapez, tapez, crevez-en de jalousie, j'irai à confesse ensuite pour mon salut. Et si M. l'abbé me refuse l'absolution, Papa Bon Dieu me l'accordera. Tapez ! Voyez le geste, appréciez le style. Tapez, tapez, pas un raté dans notre alliance.

Ô jeune fille aux cheveux de flamboyant, tu sais vraiment, tu sais sentir le swing à la mode de la race !

Quant à vous, en essaim autour de nous, continuez vos blow, blow, blow-là, des milliers et des millions de fois, jusqu'à fatiguer, vous jetterez l'éponge les premiers. Ma cavalière a la peau blanche, mais le sang nègre. Et ce n'est pas pour vous que la prêtresse se libère, c'est pour le dieu de la danse. Que l'orchestre bisse ou triple, qu'il répète le morceau à l'infini, j'irai jusqu'au bout de moi-même, ferme sur mes jarrets. Ô Ngantsiala l'Ancien, yéhé héhé héhé, Ngantsiala puissant de sagesse et riche de ruses, vois-tu, sens-tu, toi là-bas dans la plaine des rôniers, sens-tu les courants déferler et la force monter dans les membres de ton disciple, le fils de Ngalaha ? Libère, libère, pour lui, les grigris de l'endurance !

O When the saints,
Go marching in...

La pause fut courte. L'orchestre drogué par le rythme a entrepris aussitôt *Tiger Rag*, puis *Guitar Boogie*. Deux fois chaque morceau et, quand nous crûmes les musiciens épuisés, ils en entamèrent un autre.

À la fin, sous les applaudissements de la salle, du pas traînant des sportifs après la compétition, la main dans la main, transpirant mais l'âme lavée, Fleur et moi avons rejoint la table de la bande. M'asseyant à la place de Vouragan, j'ai claqué des doigts et offert une tournée à la compagnie.

Fleur a eu un mot d'attention à l'égard de Simone Signoret qui lui a répondu quelque chose que je n'ai pu saisir. Elle a avalé une gorgée de liquide brun puis, les yeux brillants, a eu une réflexion que couvrait le son de l'accordéon. Il s'agissait peut-être de moi. Embarrassé, j'ai fait semblant de n'avoir rien remarqué, mais j'ai eu du mal à prendre la contenance adéquate. Après une lampée de whisky, je me suis décidé à transmettre à Fleur le message de Vouragan, en évitant bien sûr de mentionner la marraine. Mon histoire était si sèche que je craignais d'autres questions de sa part. Elle a légèrement froncé le sourcil, fait la moue comme pour indiquer qu'il n'y avait là rien de grave. Elle a avalé une autre gorgée de son alcool et a ouvert la bouche pour en savourer le parfum. Ses lèvres humides me troublaient, mais je me suis contenu. Malgré ses cheveux roux, elle avait, je vous assure, la bouche pulpeuse et troublante des signares* du Sénégal.

* Signares : mulâtresses de Saint-Louis du Sénégal.

Devant la cabine téléphonique, j'ai du mal à patienter. Si je n'obtiens pas le rendez-vous ce soir, le docteur ne pourra pas me recevoir demain. Et mardi, mardi soir au plus tard, il faudra reprendre le train pour Chartres. Un jeune homme téléphonait, et deux personnes attendaient leur tour avant moi. La conversation se prolongeait trop. Le jeune homme nous voyait et nous regardait avec cet air de mépris que les Baroupéens au pays laissent tomber sur nous. J'ai voulu pénétrer dans la cabine aussitôt après que le jeune homme en était sorti. Une voix de mâtin m'a menacé. À la manière dont il faisait claquer sa mâchoire, j'ai compris qu'il allait me mordre si je ne reculais pas. Peut-être était-il effectivement arrivé avant moi, mais je ne l'avais pas remarqué. J'ai tenté d'expliquer que c'était simplement...

Il ne m'a pas laissé terminer ma phrase.

Des passants se sont arrêtés pour prendre son parti et le groupe m'a entouré en proférant des paroles de plus en plus hostiles. J'ai voulu insister. L'un d'eux m'a tourné le dos en déclarant que si je n'étais pas content, je n'avais qu'à retourner chez moi. Et, ce disant, il dirigeait l'index dans la direction des nuages au-dessus de l'autre rive de la Loire. J'ai répliqué en montrant ma poitrine puis le sol et en affirmant que, tout compte fait, moi aussi, j'étais chez moi ici, ce qui l'a bien fait rire.

Je n'ai même pas eu le temps d'ajouter que mon père était mort à la guerre. D'un certain point de vue j'exagérais à peine. Car je pensais, bien sûr, à Joseph, héros de Bir Hakeim.

De toute façon, quelle importance ? Ils ne m'écoutaient pas. Je me suis arrêté. Je n'avais pas envie de pleurnicher. J'étais prêt pour la bagarre. J'ai gueulé, comme ils disent. Ils se sont aussitôt radoucis. Moins, je pense, en raison de mes propos qu'à cause du rouge de mes yeux. Heureusement, car lorsque je me transforme en bélier, c'est pour le regretter ensuite.

Mon tour venu, dans la cabine, je laisse sonner longtemps. Silence. Je prends mon temps. Je recompose le numéro. Bizarre ! Ils sont peut-être encore en week-end à la campagne.

Je veux, pour me redonner du cœur, toucher les cauris autour du cou. Diable ! Plus rien ? La silhouette floue du vieux Ngantsiala me tendant, la veille de mon départ, mon scapulaire indigène et agitant l'index devant mes yeux se profile quelque part dans ma tête.

Ils ont dû se détacher.

Deux fois de suite, je refais mon trajet entre le bus et la cabine téléphonique.

Mais qui donc ferait cas de cauris traînant sur un trottoir ? En me les remettant, le vieux Ngantsiala m'avait aussi confié un *ékoukisson*, la hache du pouvoir que le chef porte sur l'épaule. Son cadeau pour le Commandant. Je l'ai accroché au mur de ma chambre d'étudiant.

Les vitrines des magasins de la rue d'Orléans se sont allumées, et les enseignes lumineuses tentent de communiquer la gaieté de leurs jeux aux artères de la ville. Rue Boileau, j'ai regardé l'heure à l'horloge de chez Diedisheim. Elle avançait de cinq minutes par rapport à ma montre. Je commençais seulement à sentir le sentiment de l'oppression de ceux qui sont perdus, de ceux qui se trouvent en un lieu dont ils ne connaissent ni les mœurs ni la langue.

Je suis allé m'asseoir sur le banc de la station de tramway.

Un tramway arrive en carillonnant. Le wattman attend que des passagers descendent. Son regard anonyme glisse d'un visage à l'autre. Il s'est arrêté une fraction de seconde sur le mien. Il annonce la station puis la direction de la ligne, hausse les sourcils et tire sur la sonnette. Les trolleys lancent des éclairs bleus dans la nuit, et l'engin repart en poussant la plainte d'un enfant jouant à la voiture.

Selon l'Oncle Ngantsiala, il ne faut jamais s'émouvoir. Surtout pas devant le danger.

Conserve, conserve le sourire, mon fils... Yéhé, héhé, yéhé, héhé...

La pirogue a remonté le fleuve jusqu'au coucher du soleil. Je ne me suis plus jamais retourné. Nous avons abordé une île peuplée de pêcheurs. Ils parlaient une langue inconnue. Les femmes et les enfants s'étaient massés sur le rivage et nous dévisageaient avec curiosité. Un homme a battu le tam-tam, et des chants de bienvenue que le fleuve reprenait en écho ont adouci la peur qui venait avec la nuit.

Les souvenirs des jours suivants sont aujourd'hui envahis par une étrange brume. Chaque fois que je crois me remémorer une journée de ce temps-là, celui de Gamboma s'interfère et mon esprit s'embrouille.

Quelques accords de musique, et soudain les lumières de la salle s'évanouissent. Des ampoules bleues dans la zone de l'orchestre et l'éclat d'un néon du côté du bar donnaient à la salle une atmosphère d'aube. Dès les premières notes, j'avais senti autour de moi l'avancée d'ombres chinoises. Comme répondant à l'appel d'un rite bien connu, elles émigraient des tables vers la piste où se tissaient déjà, dans une liberté fiévreuse, des idylles qui se moquaient des voyeurs.

La pénombre mettait en valeur le profil de médaillon de Fleur. La lenteur du morceau enroulait et caressait le cœur. Je songeais à Kani et à mes serments.

Tendre Virginie...

Une chanteuse en robe de soirée lamée s'était jointe à l'orchestre. Tenant le micro comme une coupe qu'elle allait porter à ses lèvres, elle traînait sur le *e* muet de Virginie.

Fleur regardait devant elle. Elle avait sans doute senti le mouvement hypocrite de mes yeux. Elle a fouillé dans son sac, en a extrait un paquet de cigarettes et m'en a offert une avec un sourire où brillait une poignée de diamants.

– Quelle marque ?

– Lucky Strike !

Elle y avait mis l'accent qui indiquait un séjour en Angleterre.

– Merci, je ne supporte pas les blondes.

Pour la colonie...

C'était sur le *e* muet de colonie que traînait maintenant la chanteuse.

Comme figée devant nous, Simone Signoret faisait du surplace avec son cavalier. Les yeux clos, elle avait passé ses mains autour du cou du garçon. Ses doigts effilés prolongés par des ongles carmin se crispèrent un instant. Le nègre nantais, la main sur les omoplates de la fille, la tenait fort contre sa poitrine. Il avait également les paupières closes, mais on sentait la fièvre qui brûlait son visage. Simone, tremblante, a entrouvert ses lèvres comme une fidèle attendant l'hostie. Les lèvres de l'homme ont rejoint les siennes.

Mon bateau lève l'ancre bientôt,
Vir
gi
nie...

J'ai toussoté pour m'éclaircir la gorge et j'ai invité Fleur à nous mêler à la procession qui se déroulait sur la piste au rythme du tango lent.

Tendre Virginie,
eu...

Les musiciens, chacun à son instrument, évoquaient des condamnés alignés, condamnés à accomplir en silence une tâche répétitive. Une jambe entre celles de Fleur, la sienne entre les miennes, moi capitaine délicat, elle pirogue fendant le courant, moi cavalier, elle monture anticipant mes fantaisies, nos voiles tiraient profit des alizés. Quel que fût le mouvement, chaque partie de son corps demeurait joint au moindre centimètre du mien. La danse était tiède, désaltérante, comme un bain de source pure. Je sentais ses formes harmonieuses à la fois douces et fermes. Pourquoi s'est-elle alors collée tout contre moi ?

Elle n'aurait pas dû.

J'ai doucement pressé sa main et j'ai senti une pression en retour. J'ai un peu pensé à Vouragan. L'un des cheveux de Fleur m'a caressé le menton. Nous dansions mieux encore joue contre joue. Elle fleurait bon le réséda. Les mouvements de la danse conduisaient nos corps à s'enchâsser toujours plus l'un dans l'autre. Je sentais son souffle et son corps de ballerine qui se moulait contre ma poitrine, mon ventre et mes cuisses. De plus en plus encastrés, tâtonnant à plaisir, nous avancions nous aussi les yeux fermés. Inspiré par les dieux des sons et des sources, j'inventais mille pas pour dépasser la monotonie du rythme. Et son pas suivait le mien, comme si depuis des lunes et des lunes c'était la chanson espérée de deux êtres entraînés à cette danse, de deux êtres qui se recherchaient depuis des siècles et des siècles !...

La chanteuse a enflé le volume de sa voix. J'ai senti contre mon cou l'humidité d'une lèvre mulâtresse. Mon sang s'est mis à couler chaud dans la poitrine. Une mèche carotte a effleuré ma joue. Ah ! cette odeur inattendue de réséda qui courait sur sa peau !... Quelque chose de ferme et dur que je ne pouvais plus maîtriser s'arc-boutait contre son ventre. J'avais honte de la bête en moi, mais, dites un peu, ô vous-là, dites comment se maîtriser ? Vous connaissez le sang gangoulou...

La chanteuse amplifiait son registre comme si elle voulait appeler la terre entière à prendre connaissance de son dénuement, comme si elle voulait crier plus fort que le vent, couvrir le halètement des flots, être entendue des dieux les plus éloignés, là-haut, tout là-haut. J'ai senti la pression de ses mains contre mon cou. Des doigts de soie.

La chanteuse a hurlé, puis a baissé la tête et s'est tue, laissant le piano évoquer ce qui se déroulait en elle, maintenant qu'elle était purifiée.

Balancé par le tangage de nos pas et par la plainte grave du saxo, j'ai fermé les yeux. Les ongles de Fleur ont effleuré ma peau. Ils avaient envie de s'y ficher.

La chanteuse a repris le refrain et terminé comme dans une berceuse.

Vir
gi
nie...

Dieu, n'allumez pas, n'allumez pas. Une seconde seulement. Une seconde. N'allumez pas puisqu'elle non plus ne bouge.

Le saxophoniste, le visage concentré, jouait *Si tu vois ma mère*. Un air lent et enroulant comme les lacets d'une fumée de cigarette.

J'ôte à nouveau ma gabardine pour la secouer. Une pièce de cent sous, des miettes de papier, un bouton, et des grains de je ne sais quelle poussière en tombent. J'enlève la veste, tâte les poches extérieures, intérieures, fouille – sait-on jamais ? – les poches du pantalon. L'inventaire terminé, des bouffées de sueur m'envahissent, et je pense fort, très fort en lingala, en kigangoulou, répétant comme des prières des phrases que j'ai entendues dans la bouche de Ngalaha ou de Ngantsiala. J'ai même peut-être dû me mettre à parler haut car les passants me dévisagent avec des yeux étranges.

Deux dames me croisent. J'ai voulu les aborder pour demander mon chemin, mais elles ont tenu leur tête de manière à ce que nos regards ne se rencontrent pas. J'aurais dû m'en douter... À cette heure, avec mon teint et mon faciès !...

Pas un taxi à l'horizon.

Le passant suivant prétend qu'il n'est pas du quartier et presse le pas.

Enfin un taxi ! Il est libre. Je me suis placé au milieu de la chaussée.

– Où allez-vous ?

– Au stade Malakoff.

– Désolé, je rentre. Pas ma direction. Moi, je vais à Chantenay.

D'un geste d'humeur, l'homme m'a indiqué la station de taxis la plus proche.

À plusieurs reprises des chauffeurs ont ralenti, se sont arrêtés à ma hauteur, m'ont dévisagé et ont redémarré sans un mot avant que j'aie pu m'expliquer. Je crois que je suis resté près d'une heure dans le vent et sous le crachin, quelquefois aspergé par les flaques d'eau de véhicules pressés. Celui qui finalement a accepté la course avait un accent étranger.

En roulant, nous passons devant mon hôtel, puis le château de la duchesse Anne de Bretagne. D'un côté les douves, de l'autre un paysage lugubre où doit passer la voie ferrée. Les pavés grimpent ensuite comme une carapace de tortue entre les deux cheminées des usines LU. J'enregistre le trajet avec soin, au cas où...

Tout au long du parcours, l'homme jette des coups d'œil dans le rétroviseur et nos regards gênés se rencontrent. J'ai essayé de lancer la conversation, mais il répond chaque fois par des monosyllabes.

Après le Champ-de-Mars, nous abordons un quartier peu éclairé où je crois reconnaître des immeubles remarqués l'après-midi, lorsque je me trouvais dans le cortège célébrant la victoire de l'équipe nantaise. Arrivé au stade Malakoff, le taxi ne veut pas attendre.

À travers les grilles, un gardien en bleu de chauffe a levé sa lampe pour éclairer mon visage.

– Siouplaît, monsieur, vous n'auriez pas retrouvé des cauris, par has... ?

– Des quoi ?

Je dois expliquer. Sur un morceau de papier jaune (sans doute un billet jeté) que je ramasse par terre j'ai même essayé de dessiner l'objet. Le gardien hausse le sourcil, comme s'il s'agissait d'une idée saugrenue.

– Oui, c'est très précieux. J'ai dû les perdre pendant le match.

– On m'a rien rapporté.

– Sûr ? Vous êtes sûr, monsieur ?

– On verra ça demain. Mais si c'est précieux et que quelqu'un les a trouvés, alors, dame, ben...

Sa voix retentit, grave et sonore comme celle d'un homme des nuits qui aurait oublié le souvenir du soleil. J'ai insisté pour aller constater sur place. Il ne fait aucun commentaire et lève à nouveau sa lampe à hauteur de mon visage.

– Je vous assure que c'est très important pour moi.

J'ai un chat dans la gorge. Il sort un trousseau de lourdes clés. Toutes se ressemblent, mais lui, connaisseur, choisit la bonne qu'il introduit dans la serrure. Je tousse pour m'éclaircir la voix. Son crâne, comme poli à la pierre ponce, brille sous la lueur d'un chiche rayon. Une espèce d'Erich von Stroheim aux traits un peu plus lourds que l'acteur. Il a refermé la porte derrière moi. Le grincement de la ferraille résonne en écho à travers les gradins du stade. L'homme au crâne chauve lève à nouveau sa lampe à hauteur de mon visage comme s'il avait omis de vérifier un détail. Je me racle encore la gorge.

Il avance devant moi en silence d'un pas lourd et régulier de paysan. Volubile, trop volubile, j'explique comment j'aurais pu perdre l'objet.

Les silences d'Erich von Stroheim ajoutent au poids de la nuit.

Je lui répète mon itinéraire et me reproche tout aussitôt mon bavardage.

Le stade est aussi lugubre qu'un champ de bataille abandonné.

Nous sommes montés sur les gradins que j'avais occupés. Ou à peu près. Car, sur place, je suis saisi de doutes. Chaque allée et toutes les rangées se ressemblent. Toujours sans un mot, le gardien accepte d'inspecter les lieux que j'indique. Il balaie le sol d'une lampe torche qu'il tient dans la main gauche. J'ai de la chance, car les lieux n'ont pas encore été nettoyés. Des journaux, des papiers gras, des billets déchirés, des bouts de carton brûlés, sans doute reliefs des feux d'artifice, traînent sur le ciment. Je touche ces détritus du bout des doigts.

Pas de cauris.

Avant de quitter le stade, je demande à Erich von Stroheim de m'indiquer la station de taxis la plus proche. Il hausse les épaules.

– Pourriez-vous m'en appeler un par téléphone ?

Il n'a pas répondu. Juste un regard dans ma direction. Un regard lourd dont je ne comprends pas le sens.

Il a haussé les sourcils et m'a fixé d'un air étrange. Le vent balance une faible ampoule jaunâtre. Son visage m'a évoqué un instant celui d'un albinos.

Je lui ai donné un matabiche*. Un regard sans expression se pose sur le billet, puis se plante dans mes yeux. Aucun muscle de son visage n'a bougé. Sans un mot, il froisse l'argent et l'enfonce dans sa poche. Il trifouille à nouveau dans son trousseau et choisit une grosse clé pour m'ouvrir dans un bruit de ferraille rouillée la grille de l'entrée.

Les rares réverbères de la rue se reflètent en taches jaunâtres sur les pavés humides. Je remonte le col de ma gabardine, allume une cigarette, et m'enfonce dans la nuit en prenant pour point de repère l'immeuble à la hauteur duquel, tout à l'heure, j'avais aperçu Dikabo porté en triomphe, lorsque nous sortions du stade en vainqueurs.

– Monsieur !

Une sueur glacée me parcourt l'échine.

– Monsieur, attendez.

C'est la voix de basse d'Erich von Stroheim.

– Votre chose-là, à quoi ça ressemble ?

* Pourboire.

Je bredouille des mots piteux et confus qui ne doivent rien éclaircir.

– Ouais... des espèces de bigorneaux, quoi...

– Si vous voulez, mais précieux.

Toujours aussi impénétrable Erich von Stroheim hausse les sourcils de manière à peine perceptible.

– Sait jamais... Peut-être qu'à la lumière du jour... Si je les trouvais, où ça c'qui faudra les envoyer ?

J'hésite avant de donner, finalement, l'adresse de l'hôtel.

L'île des pêcheurs était en émoi. Un adolescent essoufflé racontait qu'il avait vu accoster sur le rivage, côté français, des êtres étranges. Ils parlaient une langue que personne ne comprenait et dont les sons ressemblaient aux piaillements des oiseaux se disputant sur une branche. Une langue nasillarde avec des monosyllabes, semblable à celle què l'adolescent entendait utiliser par ma mère et moi. C'est pour cela qu'on était venu me chercher pour traduire.

Fier d'accomplir un métier d'adulte, j'ai pris la direction du fleuve flanqué d'Ebalé, la machette à la main, et de quelques hommes armés de sagaies. En apercevant les silhouettes dans la pirogue, une impression d'irréel m'a envahi et mon cœur a battu la chamade.

– Andélé !

L'homme en tenue de raphia et bonnet rouge m'a tendu les bras.

– Andélé, mon enfant ! C'est toi ?

L'Oncle Ngantsiala a tapé plusieurs fois dans ses mains, comme s'il assistait à un miracle.

– Voilà mon fils que je cherche, disait-il en s'adressant à sa suite. Andélé !

L'Oncle Ngantsiala chantait que j'avais quitté le village alors que j'étais court comme ça. (Il indiquait du dos de sa main la hauteur de son genou.) Maintenant voilà que j'étais comme ça ! (Du même geste il indiquait une hauteur au-dessus de sa ceinture.) Dans son chant, l'Oncle Ngantsiala introduisait des formules en kigangoulou ancien que je ne comprenais pas, et sa suite répondait par d'autres formules.

J'ai expliqué à Ebalé que l'homme en tenue étrange était mon père, et le pêcheur l'a invité à prendre le chemin de sa parcelle avec sa suite. Mes camarades ont interrompu leur jeu et, curieux, se sont mêlés à nous. L'accoutrement de mon Oncle et la langue de mes compatriotes les faisaient rire et ils en plaisantaient, en essayant d'imiter les sons de notre langue.

Lorsqu'elle a reconnu l'Oncle, Ngalaha s'est arrêtée de piler et s'est mise à chanter :

Tata ayi,
*Nzala esili**.

J'ai frappé dans mes mains et chanté avec elle :

Tata ayi,
Nzala esili.

Mes camarades ont fait une ronde autour de la famille retrouvée et répété avec nous :

Tata ayi,
Nzala esili !...

* Papa est revenu/Nous n'aurons plus faim.

L'arrivée de Vouragan fit brûler le torchon dans la famille. Joseph parla de parasitisme et d'habitudes de nègres. Ngalaha, les mains aux hanches, le mesurant d'un aller et retour des yeux, lui demanda ce qu'il était, lui-là, sinon un fils de négresse ; qu'avec sa peau à elle (elle la frottait avec l'index pour bien montrer que ce n'était pas de la suie), elle avait été capable de pondre un enfant plus brun que lui, aux cheveux plus lisses que les siens, au visage aussi doux que celui de la Sainte Vierge.

Même !

Et elle faisait une moue comme si elle allait cracher par terre. Exécutant une série de moulinets menaçants de l'index, elle ajoutait qu'elle était, quant à elle, fière de ses habitudes de négresse ; que s'il ne voulait pas accueillir Vouragan, elle s'en irait pour elle avec ses deux fils. Le Congo ne manquait pas d'hommes !...

Et elle tchipa d'un mouvement de lèvre insultant.

Depuis qu'il m'avait annoncé l'arrivée de la marraine, Vouragan avait disparu, me laissant disposer à ma guise et à loisir de son studio. Il réapparut le mercredi matin, le visage absorbé, n'ayant visiblement pas de temps à perdre.

– Déjà debout ? me lança-t-il, joyeux, en se dirigeant vers l'armoire.

– T'as vu l'heure ?

– Ouais, mais tu es en congé.

– Quand on est seul dans son lit, les grasses matinées sont tristes.

Il a souri et s'est dirigé vers l'armoire, gardant sa réflexion pour son plaisir personnel.

Concentré sur je ne sais quel objectif, il avait à peine daigné un regard dans ma direction. Il a tiré une chaise, y est grimpé et, sur la pointe des pieds, s'est appliqué à faire glisser une valise rangée au-dessus de l'armoire à glace. Après l'avoir bien époussetée, il a ouvert la porte du meuble et s'est mis à y ranger des chemises, des chaussettes et du linge de corps. Il a pris un pyjama, l'a considéré, a réfléchi et l'a replacé dans le tiroir d'où il l'avait extrait.

– Tu pars en voyage ?

Il a secoué la tête.

– Tu déménages alors ?

Il a hésité un instant, puis a plié avec soin quelques Blima, s'est saisi d'un vieux journal qui traînait sur le buffet, l'a feuilleté rapidement avant d'y emballer ses mocassins et triples-semelles.

– Tu déménages ? répétai-je.

– Disons... si tu veux... Temporairement, quoi.

Le genou sur son bagage, il s'efforçait de fermer une serrure qui avait perdu l'habitude de fonctionner.

– La maison est à toi... Jusqu'à dimanche. Fais comme chez toi, invite, héberge qui tu veux...

Il m'a regardé, souri, et repris en faisant un clin d'œil :

– ... de toute façon je changerai les draps après.

– C'est pas moi qui te chasse au moins ?

Il a haussé les épaules, soulevé la valise et s'est dirigé vers la porte.

– Ne cherche pas à comprendre, l'homme. Laisse seulement, je vais te raconter après.

La dernière phrase avait été dite en lingala. Il s'est arrêté devant la porte, a posé la valise, puis a fouillé dans une poche d'où il a extrait une liasse de billets. Sans doute la prime d'un match.

– Tiens, l'homme. Avec les fêtes-là, tu vas avoir des dépenses.

– Merci, je n'ai besoin de rien.

J'avais envie de lui rappeler que je travaillais.

– Ah ! toi aussi ! Prends seulement, ko !

Je m'entêtai.

– Yéhé, tu veux faire le Mouroupéen ! L'homme, je te dis, si tu ne prends pas, tu m'insultes.

– Tu as plus besoin d'argent que moi.

– Moi ?

Il s'était frappé la poitrine avec tant de force qu'elle avait résonné d'un bruit sourd.

– Oui, toi !

– Moi ?

Il m'a jeté un regard de pitié.

– Est-ce qu'en un mois, toi-là, tu peux mettre tout ça dans ta poche ?

Il a sorti un second paquet, s'est assis et, après s'être mouillé les bouts du pouce et de l'index, s'est mis à compter les coupures.

– Est-ce que, depuis que Mama Ngalaha t'a mis au monde, tu as déjà vu autant d'argent ? Hein ? Dis, ko ! Tu peux les renifler, si tu veux...

Dédaigneux, il m'a invité à examiner les billets à contre-jour.

– Tu peux regarder. C'est pas de la fausse monnaie.

Je ne bronchais pas, me contentant de le considérer en relevant un sourcil comme quelqu'un qu'on défie.

– Ouais, l'homme. Je te dis, la caillasse est tombée. Avec ou sans cravate, on peut grailler, piper et ensuite, l'âme rassasiée, crever. Qui dit mieux ? Ouais, l'homme.

Il ponctua la fin d'un mouvement de tête convaincu.

– Je sais, reprit-il d'un ton d'abord madré puis légèrement survolté. Je suis un voyou. Je t'invite à venir et je disparais... Je sais, ça ne se fait pas...

J'allumai une cigarette.

– Qu'est-ce que tu crois ? Que j'ai oublié le sens de l'hospitalité africaine ?

– Je ne crois rien. Je t'écoute.

– Eh bien, vous verrez, monsieur.

Vouragan redressa la tête avec fierté, se leva, prit sa valise, ouvrit la porte et, dans un élan théâtral, s'engagea dans le couloir.

– Ah ! j'oubliais. Tu veux mon scooter ? Allez, viens, je te le prête.

Il a fébrilement fouillé dans ses poches et m'a remis la clé.

– Tiens, voilà les papiers. Carte grise, assurance et tout et tout.

Me prenant ensuite par l'épaule, il m'a entraîné dans le couloir, jusqu'à l'entrée. Quand il a ouvert la porte, il s'est arrêté un instant et s'est mis à contempler avec satisfaction une voiture américaine garée de l'autre côté de la rue.

Large, magnifique comme une vedette de gardes-côtes, galbée, étincelante de chromes, elle avait les dimensions de celles qui sillonnent les rues de Léo. En les admirant, là-bas, nous évaluions les biens de ce monde que nous n'atteindrions jamais et disions que les Belges colonisaient mieux que les Français.

Les pneus à flanc blanc de celle-ci lui donnaient une allure de gala.

– Studebaker ?

– Wapi* ! Chevrolet ! Chevrolet Bel Air, mon cher.

Les clignotants avaient presque les mêmes dimensions que les phares. Deux têtes de fusées en caoutchouc sur des pare-chocs épais et chromés, deux queues de requins encadrant le coffre arrière, le jouet lançait les mêmes reflets que le Congo sous le soleil.

– Oui, Vouragan toussota légèrement, oui... ma marraine est une dame difficile. Elle ne peut pas supporter les voitures françaises. Aucune imagination dans la ligne ! Des trottinettes, sans suspension ni confort !... Ma marraine est très sensible à l'esthétique et à la sécurité. Là-dedans, justement...

Quand Vouragan a démarré après avoir appuyé plusieurs fois sur l'accélérateur, j'ai aperçu les yeux effarés de Mme Chantreau qui nous espionnait entre les voilages de sa fenêtre et marmonnait je ne sais quelle considération sur l'immoralité du monde d'après-guerre.

* Tu parles !

Aux abords du stade Malakoff, la rue est mal éclairée. Dans la nuit, le vent souffle en fortes rafales. Moins violentes que celles d'avant la tornade, mais continues, persistantes et lourdes d'humidité. Des gouttelettes planent, brillantes, quelques instants avant d'atteindre le sol. J'ai relevé le col de ma gabardine et éprouvé pour la première fois le besoin d'un chapeau. En enfonçant mes mains dans mes poches, j'en ai encore exploré le fond.

Le visage de l'albinos me hante. En fait, il ne ressemblait pas vraiment à Erich von Stroheim. Il n'aurait pas pu jouer l'aristocrate de *La Grande Illusion*. Une face trop lunaire.

Le vent plaque mes habits contre mon corps. La force des bourrasques m'arrête par instants et le pan de ma gabardine flotte derrière moi.

Les pavés gras sont humectés de sueur. L'albinos avait raison. Pas de taxi alentour. Toutes les façades sont closes. Rares sont les maisons d'où suintent, à travers les volets, des zébrures lumineuses. On dirait que la ville a reçu l'ordre d'un étrange couvre-feu. En passant à hauteur de l'un des rares becs de gaz, je vois mon ombre en oblique sur le pavé, et le rythme de mon pas se brise. C'est maintenant que j'aurais besoin de mes cauris.

– Asma !

Je presse le pas. Mon imagination doit me jouer des tours. Quand j'aurai des enfants, je ne leur raconterai pas ces contes qui finalement sont la source des frayeurs adultes.

– Asma !

Peut-être un phénomène identique aux feux follets !... Je me souviens avoir lu dans des récits de voyageurs des explications sur des phénomènes analogues dans le désert...

– Eh, asma !

Je me mets à siffloter un air et m'arrête aussitôt. Celui que le vieux Ngantsiala nous faisait répéter quand il nous enseignait les formules précieuses pour traverser sans aventures la forêt sacrée.

Mais je siffle avec tant de maladresse qu'un gamin se moquerait de moi. Mieux vaut me taire.

Trois hommes courent dans ma direction. De temps à autre l'un d'eux se retourne.

– Frère...

Puis le reste dans une langue que je ne comprends pas. Le plus grand essaie de me tirer par le bras. Je résiste et proteste. Irrité, il fait un geste de rejet et continue à proférer un torrent de mots incompréhensibles dans une langue gutturale. Leurs visages pain d'épice aux sourcils et moustaches charbon m'ont fait frissonner. Des portraits semblables à ceux que l'on voit souvent en première page de *France-Soir* ou de *Paris-Presse*, sous un titre à sensation. Celui d'un homme qu'on recherche pour agression au couteau ou qu'on a arrêté pour viol... Ils pourraient passer pour des métis de chez nous...

Glacé de frayeur, je n'ai pu articuler un seul mot pour me différencier d'eux.

Ils ont poursuivi leur fuite, plongeant dans les ténèbres de la première rue à droite.

Le vent gémit et personne alentour. Moi aussi, je me mets à courir devant moi. D'abord en sprintant, puis moins vite pour m'économiser, mais toujours à bonne allure. J'ai pensé à ma finale du cinq mille mètres lors des jeux universitaires de l'AEF, au stade Marchand. Le Tchadien avait brusquement démarré et filé, après m'avoir laissé mener à perdre haleine.

– Halte !

Des policiers m'entourent. L'un d'eux me secoue brutalement.

– Où sont les autres ?

Il me gifle.

Après avoir servi le vin de palme, Ngalaha s'adressa à Ebalé le pêcheur. Elle lui définit la place de Ngantsiala dans le rameau familial. Ebalé décida donc qu'il n'irait pas sur le fleuve car c'était jour de réjouissance. Prenant son couteau, il vida plusieurs mbotos*, égorgea un cabri, puis de nombreuses poules. Pas parmi celles que l'Oncle venait d'offrir. Des poules blanches. Uniquement des blanches.

Ngalaha s'était assise en face de l'Oncle Ngantsiala et lui demandait des nouvelles de chaque homme et de chaque femme du village, sans omettre personne. Patiemment, l'Oncle écouta l'énumération, hochant la tête à chaque nom, puis à la fin se racla la gorge, versa quelques gouttes de sa timbale sur le sol, avala une rasade et, comme au début d'un conte, questionna :

– Niain, niain ?

– Niain ! répondit Ngalaha.

– Que je dise ?

– Dis, seulement !

– Que je vide la besace ?

– Vide-la jusqu'à son dernier grain de poussière.

Après avoir fredonné des formules en kigangoulou ancien, il glorifia ceux dont le courage n'avait pas dimi-

* Poisson de fleuve, généralement de très grande taille.

nué face au buffle et à l'éléphant, il chanta ceux dont l'arc et la sagaie demeuraient précis pour stopper net la course de l'antilope et du jaguar, il compta celles dont les reins étaient encore assez souples pour planter et récolter l'igname, il énuméra les vierges venues d'autres terres, puis les premières, les secondes, les toutes qualités de numéro d'épouses ; il bénit les naissances ; il s'attarda en s'émerveillant sur les solides bourgeons que le soleil et la pluie avaient fait pousser, et il baissa la voix pour ceux qu'il avait fallu rendre à la terre au bout de quelques jours, avant d'ajouter la formule rituelle pour la protection de leurs âmes. Il redit la vie des barbus et des moins vieux qui s'étaient transformés en esprits, et il prononça à leur intention quelques formules en kigangoulou ancien ; il dit les palabres pour détecter les mangeurs d'âmes et les gobeurs de fœtus ; il dit les amendes.

Il dit, et Ngalaha lui servit le vin de palme.

Je percevais la nostalgie dans les paroles de ma mère. Ebalé aussi avait senti l'inflexion dans la voix de la femme, et il s'interrompit un moment dans sa tâche. Il scruta le ciel et son visage s'assombrit. Ngalaha me regarda et demanda à Ngantsiala si le temps était venu de retourner au village ; si les Baroupéens recherchaient toujours l'enfant.

Ebalé le pêcheur toussa et, silencieux, recommença à tresser l'osier de la nasse.

– Niain, niain ?

– Niain !

Telle était justement la raison de son voyage.

Il compta le nombre de lunes et de pluies depuis notre fuite. Il revint en arrière pour dire qu'au début les jours furent de roc. Il traîna longtemps sur la dernière syllabe du mot qui signifie pénible comme pour imiter le cri de la douleur et il singea la colère du Commandant. Il raconta la répression et les otages. Il raconta notre malheur et les fuites dans la brousse. Il raconta le rôle des féticheurs pour nous protéger et la négociation avec les Baroupéens. Il raconta la souffrance d'Ossio, et Ngalaha se mit à sangloter, demandant pardon d'être la cause de leur malheur. Yéhé, éhé, yéhé, éhé...

– Tu n'as pas à te lamenter ni à demander pardon. Qui séparerait l'ongle du doigt ? Notre malheur aurait été plus grand encore si nous avions accepté de vendre l'enfant que Dieu nous a donné sous prétexte que sa peau est comme la lune. Alors que la lune et la nuit sont inséparables.

Il affirma que c'eût été comme de me laisser aller en servitude du côté de Bolobo. Les Baroupéens n'étaient pas en cela différents des hommes-panthères. Ils auraient, eux aussi, changé mon âme et, plus tard, rencontrant les membres du groupe, je ne les aurais pas reconnus et n'aurais plus entendu la langue de la famille. L'enfant ne peut quitter sa mère avant que la geste des Anciens ne lui ait été relatée en détail, non pas seulement pour qu'il en ait connaissance, mais surtout pour la graver dans l'argile de sa mémoire. Avant que sa tête n'ait reçu leurs secrets, avant que son âme ne se soit colorée de manière indélébile du pigment de la race, l'enfant doit demeurer enroulé dans le pagne maternel.

– Femme, c'est le bois vert, pas le bois sec, qu'on plie. Niain, niain ?

– Niain !

Les Baroupéens avaient envoyé un autre Commandant. Et voici que l'actuel s'apprêtait également à partir. Suffisamment de lunes et de pluies s'étaient écoulées pour pouvoir maintenant revenir sur le continent sans danger. On s'était réuni à Ossio sous la présidence de Ngalouo. On avait consulté le clairvoyant du village Ngaâ. Et des envoyés avaient pris la route du côté du soleil de midi pour consulter celui d'Owando, du côté du soleil couchant, pour recueillir les avis de ceux de Boundji et de Lekoni. On avait dépêché des membres de la famille aux pays des Babomas et des Bakoukouyas pour consulter ceux de Mbé et de Djambala. Tous avaient analysé et soupesé, puis Ngalouo avait tranché : le temps était venu de sortir de la retraite à condition de ne pas revenir au village et de ne plus mentionner les noms que son père avait donnés à l'enfant.

L'Oncle m'appela et posa sa main sur ma tête.

– Quand la pirogue viendra pour vous amener dans le sens du courant, oublie ton nom roupéen.

Et le vent se leva.

– Si quelqu'un le prononce près de toi, même pour s'adresser à un homonyme, aie l'attitude du sourd. Sinon gare à la foudre ! Si quelqu'un te dit qu'il s'appelle Andélé ou Léclair, dis-lui seulement bonjour de la tête. Ne lui donne pas la main. N'en fais pas ton ami. Sinon gare à la nuit !

Et l'Oncle reposa sa main sur mon crâne et chanta en kigangoulou ancien. Ces choses sont si étranges qu'on a du mal à les croire quand on les relate en kiroupéen, mais je sentis une douce chaleur se diffuser dans ma tête. Une chaleur bienfaitrice comme de l'eau tiède sur le corps à la saison d'hivernage.

– Okana, fils de Ngalaha, entends-tu la voix de Ngantsiala ton père-côté-femme ?

Le vent ridait la surface de l'eau.

Ma mère me souffla les phrases à répéter. Ainsi je fis.

Et le vent se mit à maltraiter les arbres, et les herbes se mirent à frissonner, se couchant un moment, comme les cheveux des Baroupéens lorsque y passe le peigne.

Ebalé le pêcheur regarda le ciel et s'en fut ramasser ses filets.

Dans les villages, les enfants métis gênaient. À la fois bêtes à ailes et mammifères, taches discordantes sur le décor, ces chauves-souris brouillaient la ligne de démarcation. Des ordres parvinrent de Brazzaville : arracher de la brousse tous les gamins mulâtres qu'on repérerait dans les villages. Au cours d'une battue, Joseph fut récupéré par les pères de la mission de Boundji, puis emmené à l'orphelinat Saint-Firmin, dans la capitale.

Quand, plus tard, l'identifiant, des gens de son village maternel tentèrent de le contacter, il ne les reconnut plus. « Écoute-nous, fils, avaient-ils beau supplier dans la langue du village, écoute ! Nous ne te voulons pas de mal. Seulement... » Mais lui prenait peur, disait qu'il ne comprenait pas ce dialecte, se débattait, leur tournait le dos et se sauvait en criant au secours.

Les gens de la tribu rentraient en rapportant que leur enfant avait été ensorcelé ; qu'on lui avait volé son âme comme à ces esclaves hypnotisés ou drogués que les sectes allaient vendre dans les forêts du côté de Bolobo. Les prêtres lui avaient ravi sa mémoire et introduit une âme roupéenne à la place de l'originelle. Ah ! Comment lui dire, comment, que la mère était décédée ?

C'est au petit séminaire de Mbamou qu'il avait rencontré le Lari, son unique et fidèle compagnon d'aujourd'hui.

Un jour, quelques années plus tard, on est venu le chercher. Il devait avoir dix ans ou à peu près. Un Mouroupéen l'a pris par la main et lui a parlé avec gentillesse. Lorsqu'ils se sont embarqués à Boma, l'homme lui a tendu une carte d'identité : il ne s'appellerait plus Joseph Velours mais Veloso. L'homme a ajouté de ne pas s'inquiéter et lui a fait de longs développements sur l'origine des noms français.

Sans doute est-il le premier Congolais à avoir effectué la traversée pour la France. Suivent six ou sept années d'internat dans un lycée de province que je n'ai pas pu identifier. Le capitaine Velours lui aurait rendu visite plusieurs fois et l'aurait fait sortir pour le promener dans la ville. Les frais de l'internat étaient réglés avec régularité et sans aucun incident.

Un jour, un correspondant s'est présenté. Un collègue du capitaine Velours. L'enfant ne l'a jamais revu. Mais ses fournitures scolaires et son trousseau furent régulièrement assurés ainsi qu'un petit argent de poche. Les vacances étaient programmées à l'avance, organisées avec minutie, et le lycée recevait des instructions précises à cet égard. L'administration possédait l'adresse de ce monsieur qu'elle devait contacter en cas d'urgence. Joseph n'a jamais su où habitait le capitaine Velours, car comprenez, l'homme avait une famille en France.

Études dans un lycée de province où, chaque année, il bat les records dans la moisson des prix. Baccalauréats avec les meilleures mentions. Préparation aux grandes écoles. C'est là que se produit l'affront.

Au moment de l'inscription au concours, on s'aperçoit qu'il n'est pas un citoyen, ce qu'on appelle un citoyen français.

La guerre éclate. Il rejoint les gaullistes à Alger.

Suit une période dont Joseph ne parle jamais. Même pas quand il avale des mélanges.

Ce n'est pas de sa bouche que j'ai appris ces bribes, mais dans les rues et les bars de Poto-poto. Un peu de Ngalaha aussi. Il faudrait dans tout cela faire évidemment la part de l'imagination. En tout état de cause, il y a là de la pâture pour un écrivain. Peut-être Joseph sera-t-il le personnage central de mon premier roman ? Il faudrait traiter le sujet sans sombrer dans l'autobiographie facile ; éviter le mélo ; bien prendre les choses de l'intérieur ; dépasser l'historique pour atteindre l'existentiel.

De retour au pays, il faudra le faire parler. Car, au bout du compte, il n'a pas encore eu l'occasion de tenir la promesse faite une nuit sur la véranda. Et moi je ne l'ai pas pressé. Ce n'était pas d'une interview dont j'avais besoin, mais du chant spontané de l'inspiré. Demain, ce ne sera plus un dialogue entre un homme et un adolescent, mais entre deux adultes, également armés pour comprendre entre les mots.

Comment arrachait-on alors les enfants métis au pagne de leur mère ? Quelle inspiration poussa Joseph à entrer au petit séminaire ? Un élan du cœur, ou un aiguillage pour obéir aux normes du plan de ceux qui voulaient bâtir notre pays pour le sortir, comme ils le prétendaient, de sa barbarie ? Ses premières impressions en arrivant en France ? Et ce retour de la guerre ?...

Certains vous jurent leurs grands dieux qu'il se serait marié là-bas, et Ngalaha confie, après avoir vérifié qu'il n'est pas dans les parages et que les murs n'espionnent pas, qu'il aurait un fils à Mpoto. Sa voix vibre alors comme si elle parlait d'un bandit d'honneur. Mais Joseph est totalement secret sur ce point, et nul n'a jamais vu des traces de cette période. Pas même une photo.

Sur son lieu de travail, des esprits mesquins contestent que sa mère fût du Moyen-Congo. Je ne prends pas au sérieux la tradition qui en fait une Cabindaise ou une

Angolaise. C'est, bien sûr, le nom de Veloso qui est la source de la confusion. D'autres assurent qu'elle était de l'Oubangui. Une folle, qui se déshabillait en public les nuits de pleine lune. C'est pourquoi on lui aurait arraché son fils. D'autres encore affirment au contraire que c'est le départ de l'enfant en Europe qui a dérangé la cervelle de la femme. J'ai entendu un homme jurer l'avoir connue et garantir qu'elle venait en fait du Tchad : une Sara, une Mbororo, ou une Peulhe, en tout cas une femme au nez aquilin et aux traits de Mouroupéen, qui aurait suivi son mari lors de la construction du rail. Il faut ajouter que j'ai vu le même soutenir, à une autre occasion, qu'elle venait du Gabon. Ngalaha les traite tous, ces cancaniers, d'imbéciles : si vous voulez savoir, c'est Ngaliéma que s'appelait la mère de son homme. Une Moutéké de Zanaga.

Et pourquoi Joseph décide-t-il, un jour, de rentrer en Afrique ? Et là de vivre au quartier indigène, alors qu'il possède les papiers pour avoir le droit de loger au Plateau, à la Plaine ou à Mpila ?...

Sans doute l'ami Lari doit-il en savoir long sur Joseph.

Il faudra, au retour, je vous dis, lui consacrer des heures. Si toutefois se confier ne constitue pas pour lui, comme je le crains, un signe de faiblesse...

Malgré l'affection dont on m'entourait, je me suis souvent demandé si je n'étais pas un enfant recueilli. À bien y réfléchir, je ne pouvais être le fils ni du Commandant ni de Ngalaha. Ma peau était différente de la leur, différente même de celle des albinos.

Pendant de nombreuses années, je t'ai interrogée sous différentes formes. Pourquoi mes cheveux n'étaient pas crépus comme ceux des gens normaux ? Pourquoi mes yeux avaient la couleur de ceux des chats ?

Amusée, tu me prenais dans tes bras, comme au temps où nous nous cachions le jour et traversions les forêts de nuit pour fuir les troupes du Commandant.

Aujourd'hui encore, tu gardes le secret.

Après un moment de recueillement, ta voix prenait le ton mystérieux des conteurs. Tu citais des proverbes et, prenant appui sur un autre univers, tu me disais de ne pas avoir honte.

Tes mots regonflaient ma poitrine et, petit à petit, je me redressais de fierté.

Chaque fois qu'une pierre m'atteint et m'écorche, chaque fois que la salive d'une bouche sale me touche, chaque fois que j'entends l'arrogance et la grossièreté de ceux qui s'imaginent leur sang pur, c'est à tes paroles, Ngalaha, et à celles de l'Oncle Ngantsiala que j'ai recours pour répliquer et reprendre la marche.

Le brouhaha joyeux de la rue et les voix éraillées des vendeurs de cacahuètes, glaces et confiseries nous parvenaient sur le balcon de l'*Hôtel de la Duchesse Anne*. « Sucettes au lait de ma nourrice ! » clamait un bonhomme rondouillard en blouse blanche et béret basque. Mme de Vannessieux se félicitait du soleil et de la douceur de la journée.

– C'est toi qui as amené le printemps, disait Vouragan, en regardant sa marraine dans les yeux.

Reconnaissante, elle passait ses bras autour du cou de bison de son filleul et ses lèvres happaient les siennes. Ils jouaient les chatons de salon, sans faire cas de ma présence. Troublé et mal à l'aise, je tournais la tête vers la foule au-dessous de nous.

Elle était massée là depuis des heures. Depuis le matin, nous assurait Vouragan. Et même, à l'en croire, pour certaines rues du centre de la ville, depuis la veille au soir.

Vêtus de riches costumes, chaussés d'étranges sabots à talons, coiffés de hauts chapeaux à plumes d'autruche, des personnages de jeu de cartes ouvrirent le défilé, sous les applaudissements d'un public ravi.

– Les Gilles de..., cria Mme de Vannessieux, excitée, en tapant dans ses mains !

Je n'avais pas bien entendu le reste de la phrase,

couverte par les haut-parleurs de la fête. Peut-être une secte !...

– Ils viennent de Belgique !

Ils lançaient des oranges dans la foule, déclenchant chaque fois une clameur, suivie d'une mêlée. Mme de Vannessieux tendit les mains, rata le fruit, et son filleul le reçut dans une attitude de gardien de but.

– Bravo, cria-t-elle avec excitation.

Vouragan se mit au garde-à-vous et, d'un geste victorieux, leva la main qui tenait le fruit. Mme de Vannessieux le gratifia du baiser du vainqueur. Dans un mouvement de révérence, mon frère lui offrit l'orange en la vouvoyant et lui donnant du madame.

– Tu es adorable, mon chéri.

Elle avait traîné sur le *za* de zadorable.

– Nous allons la partager alors.

Il y avait bien longtemps que je n'avais pas mangé d'orange. Quand j'en vois le prix dans ce pays...

– Elle est à vous, madame, dis-je. Nous aurons, nous, l'occasion d'en goûter bien d'autres.

– J'espère bien en déguster, moi aussi, là-bas, un jour.

Elle interrogea Vouragan d'un regard craintif et s'en vint, câline, chercher refuge tout contre lui. Nous nous regardâmes et ne lui répondîmes pas.

Vouragan tenta par un clin d'œil discret de m'associer à une farce un peu épaisse à propos de la polygamie.

Du balcon, la vue était privilégiée. Comme un reptile géant qui s'engouffre dans une tranchée étroite, le défilé progressait lentement dans la rue. Les haut-parleurs poussés à fond interrompaient la diffusion de rengaines à la mode pour expliquer ou lancer des slogans de fête foraine. Tout ce vacarme était émaillé de couplets publicitaires. Des phénomènes d'écho que le vent et les immeubles s'amusaient à compliquer ajoutaient à la cacophonie.

Mme de Vannessieux, caressant Vouragan sans pudeur, l'embrassa passionnément dans le cou. Il la serra fort contre sa poitrine de gorille et, par-dessus les cheveux laqués de madame, mon frère m'a lancé un regard complice.

C'était la première fois que je voyais des chars de carnaval. Abondamment fleuris, évoquant des décors tantôt du Moyen Âge, tantôt de la mythologie gréco-romaine, peuplés de personnages géants, échappés d'un monde de Walt Disney, ils avançaient au ralenti. Des hommes et des femmes en costumes d'époques révolues ou venus de contrées exotiques souriaient et s'employaient à capter l'attention par des mimiques grotesques, qui réussissaient quelquefois à me dérider. Pierrots, soubrettes de comédie, nains, ogres bedonnants et bottés, pachas, signoris, monstres à tête volumineuse et aux jambes grêles, le visage hilare et figé dans du carton bouilli, tous lançaient dans leur sarabande confettis et serpentins sur les cheveux de la foule.

Une reine d'Égypte à peau de lait, timide et gracieuse, était rafraîchie par quatre esclaves. Le corps enduit de suie, les lèvres soulignées et amplifiées par un rouge insolent, ils secouaient infatigablement des éventails géants. J'eus le sentiment que tous les regards se portaient sur Vouragan et moi. Ils nous dévisageaient avec la même curiosité que nous avions quand un Commandant ou un prêtre venait dans le village.

– Wéhé ! (Vouragan éclata de rire.) Wéhé, les frères-là sont plus noirs que moi !

Mme de Vannessieux le couvait des yeux.

– Wéhé, tu as vu ça, l'homme ? D'où sortent-ils, ceux-là ? Laids ! Plus nègres que nous, dis donc. Sans doute des Zoulous.

Et Vouragan s'esclaffait sans retenue.

– Eh, les frères-là, les frères-là...

Vouragan hurlait plus fort que les haut-parleurs en faisant des signes en direction des esclaves enduits de suie. Il les interpellait en kigangoulou. Sous le balcon, le public le plus proche paraissait conquis par le numéro. Plaisantant, devisant, injuriant, toujours dans notre langue, il envoyait aux diables tous les Nantais et les Baroupéens de la planète.

La faluche ou le calot sur la tête, vêtus de blouses blanches ou grises surchargées de graffitis, le visage badigeonné, un peuple d'étudiants déferlait, gueulant, avec plus ou moins de bonheur, des hurlements qui se voulaient de Sioux. L'un derrière l'autre dans un monôme zigzagant, ils braillaient une chanson qui racontait l'histoire d'une belle à qui arrivaient, sur la route de Nantes à Montaigu, les plus délicieuses des aventures grivoises qu'on puisse imaginer. Chaque phrase commençait par « la digue du cul ». Vouragan, le plus puissamment qu'il put, se mit à entonner la chanson avec eux, la digue du cul. Il en connaissait chaque vers, chaque mot, la digue du cul. Mme de Vannessieux, d'abord confuse, puis encouragée par le climat général, laissa finalement échapper un sourire de sympathie, la digue du cul. Un carabin qui avait levé les yeux reconnut mon frère. Il arrêta le monôme et pointa le doigt en notre direction.

– Les cocus aux balcons ! Les cocus aux balcons !...

Et l'ensemble du monôme reprit en chœur sur l'air des lampions.

– Vouragan avec nous ! s'égosilla une fille.

– Vouragan avec nous ! Vouragan avec nous ! Vouragan avec nous ! insistaient les étudiants.

Mme de Vannessieux, rouge comme la chair de papaye solo, un sourire malheureux à la bouche, ne bronchait plus tandis que Vouragan, survolté, avec des gestes de chef d'orchestre emporté par les vents et la tempête des instruments, marquait de mouvements larges et saccadés la mesure de l'air des lampions.

Soudain silence. L'un d'eux s'avança en avant du groupe, contenant de la main les autres derrière lui. Sa faluche indiquait qu'il était carabin. D'une voix de basse, il commença :

Amis, versez, versez à boire,
Versez à boire et du bon vin.

Deux de ses condisciples tendirent leurs grands bérets comme des sébiles, et du public volèrent des pièces d'argent.

Tonton, tonton, tontaine et tonton
Que je vous raconte l'histoire,
De Caroline la putain,
Ton, ton, tontaine et tonton...

La parade s'embourbait dans un embouteillage. La police du défilé intervint. Gueulantes en réponse. Discussions, gueulantes encore. Puis, après avoir conspué les hommes du service d'ordre, les étudiants s'ébranlèrent, au rythme de *La Rirette*, effectuant entrechats et pas de deux. Dommage ! L'air m'enchantait. J'aurais aimé entendre, jusqu'aux derniers vers, l'histoire de Jeanneton qui prend sa faucille pour aller couper du jonc.

Le défilé continuait. Juchées sur des queues de poissons géants, perchées sur des arbres argentés, trônant dans un paysage stellaire, des reines et leurs demoiselles d'honneur en capes de fourrure brillante, blanche, bleue ou rouge, coiffées de diadèmes, envoyaient d'un geste gracieux et négligent des baisers et lançaient des fleurs au public à leurs pieds.

Nous aussi lancions les serpentins et les confettis que Mme de Vannessieux nous avait distribués. Quand nous n'en avions plus, elle disparaissait dans la suite et revenait les bras chargés pour nous en redistribuer. Nous en lancions sur le cortège, nous en lancions dans les cheveux des spectateurs au-dessous de nous, nous en lancions aux familles joyeuses sur les balcons voisins, nous nous les lancions les uns aux autres. Les tapis de la pièce furent bientôt recouverts d'une pellicule de mosaïques multicolores. J'aurais voulu que Kani fût là.

La première Blanche à m'avoir adressé un sourire fut l'hôtesse de l'avion, le matin de notre départ pour la France. Celles qui, à Brazza, en laissaient échapper un se hâtaient de le rattraper pour le ravaler aussitôt. Habituellement, elles laissaient choir sur nous le regard méprisant qu'elles décochaient à leurs boys.

Mlle l'hôtesse, elle, nous accueillit avec la gaieté et la gentillesse des maîtresses de maison, heureuses d'ouvrir la porte à leurs convives. Dans son uniforme bleu, elle ressemblait aux auxiliaires des armées alliées des films de guerre. Elle n'avait pas besoin de savoir nos noms, elle, pour s'adresser à nous. Elle appelait chacun de nous « monsieur » et nous vouvoyait, malgré nos âges et nos peaux. Nous bénéficiions, en tout, du même traitement que les colons.

Notre appareil s'est posé à Bangui, puis à Fort-Lamy. À chacune des escales, d'autres boursiers se sont joints à nous. L'un d'eux nous gênait à cause de ses tatouages. Pour tout arranger, le bonhomme était en bras de chemise et pieds nus dans des mapapas*. Nous sentions les regards hostiles des colons. La cargaison des négrillons gâchait leur voyage.

Nous avons ensuite mis le cap sur Kano. Un lieu où

* Sandales ouvertes.

tout le monde, y compris les indigènes, parlait anglais. L'escale a été très longue, puis Mlle l'hôtesse est venue nous annoncer que nous devrions y passer la nuit en raison d'une panne. Je me doutais bien que quelque chose clochait dans ce DC4. Avant d'atterrir, nous avions été si secoués que j'avais cru, à plusieurs reprises, que nous allions disparaître, dissous dans les nuages ou éparpillés sur le sommet d'une montagne. Les boursiers se sont inquiétés de la durée de la panne. Ils avaient peur que nous arrivions en France après la rentrée et que nous soyons refusés à l'Université. Mlle l'hôtesse a répondu que personne ne savait quand on repartirait, mais nous a assurés, en nous réchauffant le cœur de son sourire spontané, que ce serait bien avant la rentrée. Moi j'étais content de souffler un peu parce que, même si notre pilote était un as, comme l'affirmait Mlle l'hôtesse, nous avions déjà été trop brinquebalés. Heureusement que je possédais les trois cauris que l'Oncle Ngantsiala m'avait donnés la veille de mon départ. Dès que le pilote nous plongeait dans les profondeurs d'un nuage, je les caressais.

J'ai capté une bribe de conversation entre deux Baroupéens amers. Le premier s'en prenait au gouvernement de la métropole qui ne comprenait rien aux colonies et à leurs indigènes, et l'autre prophétisait la fin des haricots où les nègres allaient les chasser.

À Kano, Mlle l'hôtesse a palabré en anglais avec un homme en short et chaussettes montantes avec un ourlet juste au-dessous du genou. Il avait des moustaches maïs et des yeux bleus. Il souriait aux autres Baroupéens et nous regardait sévèrement. Malgré mon premier prix d'anglais, je n'ai rien compris de sa conversation avec Mlle l'hôtesse. On nous a finalement fait embarquer dans le même autocar que les Blancs.

Nous étions fiers, mais silencieux et un peu raides.

Nous nous sentions étrangers dans cette ville au sol

rouge, aux maisons en poto-poto et où les hommes étaient tous vêtus de boubous de drap blanc. C'était pourtant encore l'Afrique. Les charognards qui planaient au-dessus des arbres ajoutaient à notre angoisse.

La chaleur était plus écrasante qu'à Brazza, mais pour rien au monde nous n'aurions desserré nos cravates en public. Nous étions en nage, et je me demandais si la sueur n'allait pas tacher mon premier costume. Seul le Tchadien en chemisette et mapapas était à son aise. J'ai appris qu'on lui avait annoncé seulement la veille sa réussite au concours de bourse. Juste le temps pour lui de sauter dans un camion afin d'atteindre Fort-Lamy à l'heure. J'ai cessé d'avoir honte de lui et je l'ai même respecté car il avait été reçu premier au concours.

Nous sommes descendus au même hôtel que les Blancs qui en paraissaient contrariés. Nous, nous aurions préféré être logés entre nous pour être à l'abri des regards des Baroupéens toujours à la recherche de la moindre faute dans nos gestes, quand nous nous étonnions ; quand nous riions ; quand nous prenions notre fourchette ; quand nous réclamions du manioc ; quand nous nettoyions notre assiette avec notre mie de pain ; quand nous nous essuyions les lèvres du revers de la main ; quand nous toussions ; quand nous nous curions les dents, ou quand nous rotions. Mais, en même temps, nous jubilions de les embêter avec la complicité discrète et sous la protection de Mlle l'hôtesse. Ce n'était pas une mince affaire que d'être bachelier. Finie la différence entre le quartier indigène et celui des Baroupéens. Ah ! si nous pouvions seulement survivre à ce voyage, à la neige de France et revenir un jour au pays, ah ! mam'hé ! on verrait bien qui oserait encore nous interdire de nous asseoir où bon nous semblerait, au cinéma, au restaurant, ou au dancing !

Cela me donnait des idées pour un poème que je

mûrissais et qui pourrait – si je le réussissais – figurer un jour dans de futures éditions de *Mamadou et Bineta.*

À l'hôtel, quelques-uns ont essayé de pratiquer leur anglais avec les boys. Dialogues délicieux. Pourtant nous avions tous été de bons élèves, qui connaissions par cœur presque chaque page de *L'Anglais vivant* et qui étions, en tout cas, capables de réciter sans hésitation la liste complète des verbes irréguliers de haut en bas et de bas en haut.

Le lendemain, dans l'autocar qui nous ramenait à l'aéroport, j'ai été la proie d'une forte angoisse. Non pas en raison des charognards, toujours vigilants sur les toits en poto-poto, mais parce que j'estimais que nous étions des miraculés d'avoir survécu à tous les orages entre Léopoldville et Kano et qu'il ne fallait pas ainsi abuser de notre bonne étoile. Les boursiers congolais se moquaient de moi. Surtout les aînés-là de l'École des cadres. Moi, je pensais qu'il n'y avait pas en eux plus de bravoure que dans ma poitrine, mais simplement une grande dose d'inconscience dans la cervelle. D'ailleurs un Oubanguien et un Moulari avaient vomi. Quant aux Blancs... Plus d'un. Et copieusement. Bien, bien, bien. J'en avais pitié pour Mlle l'hôtesse, si gentille et stylée, qui s'affairait ainsi qu'un boy pour remplacer leurs sacs en papier qu'ils remettaient aussitôt devant leur bouche.

Mlle l'hôtesse était gentille, elle. Jamais elle ne riait ni de mes questions ni de mes frayeurs. Sauf quand dans l'autocar je lui ai demandé si nous pouvions faire confiance à la manière dont l'avion avait été réparé. Mais, après s'être amusée de ma crainte, elle m'a rassuré. Je me suis dit qu'elle faisait peut-être trop confiance au mécanicien. Et j'ai tenté discrètement de la convaincre de ne pas hésiter à prolonger le séjour à Kano afin de laisser le temps à un avion tout neuf de venir nous chercher. De toute façon, j'ai à nouveau caressé les cauris de l'Oncle Ngantsiala.

Mlle l'hôtesse avait raison. La réparation avait été parfaite. Il y a eu moins de trous d'air par la suite. Nous avons fait encore escale à Tripoli, puis à Marseille avant d'atterrir au Bourget. Au total, deux jours de voyage. L'un de nous a calculé que, sans la panne de Kano, nous aurions mis seulement vingt-quatre heures. Exactement vingt-sept, nous a indiqué Mlle l'hôtesse à qui nous nous étions adressés pour arbitrer notre propos.

– Ouais, s'est exclamé un boursier, dites ce que vous voulez, mais les Blancs sont forts !

Un autre l'a repris pour lui reprocher d'avoir dit cela en français. Comme s'il n'avait pas un patois !... Surtout que les Baroupéens n'avaient pas besoin d'entendre une remarque de ce genre. Ils nous avaient déjà trop matés, les gens-là. Maintenant que nous étions bacheliers, il ne fallait plus développer les complexes de petits nègres. Ils étaient forts ? Nous l'étions ! Car combien parmi ces colons bouffis d'arrogance possédaient leur baccalauréat ? Un baccalauréat style rocher, comme celui que nous venions de passer.

Que celui qui n'était pas d'accord ouvre pour lui sa bouche, même !...

Quelqu'un a cependant pris la parole. C'était pour contester le mot patois. Le lingala, le lari, le vili, le sangho, le sarah n'étaient pas des patois, mais des langues. Palabre, je vous dis. Fallait entendre ça ! Palabre ! J'ai voulu dire que... puis, je me suis tu, car je n'étais plus sûr de ce que j'avais lu dans le Larousse. Le kigangoulou doit effectivement être une langue...

En France, nous avons su que les boursiers des années précédentes avaient passé trois semaines sur le bateau. À l'arrivée à Paris, nous avions l'impression d'être des héros, nous qui venions de répéter l'exploit de Mermoz.

Le Tchadien avait la chair de poule à cause du froid. On l'a séparé de nous et, quand il nous a rejoints, nous l'avons entouré pour lui demander l'adresse du lieu où il avait été ainsi sapé.

Avant de m'endormir pour ma première nuit en métropole, j'ai écrit une lettre de dix pages. Une lettre en français où je choisissais chaque mot, chaque expression, en fonction de la traduction que Joseph devrait en faire à Ngalaha.

Le dernier char passé, la foule a envahi la chaussée. Dans la lumière d'un soleil blafard de saison sèche, les rues se vidaient et les visages s'assombrissaient.

Je souhaitais prendre congé de Vouragan et de sa marraine, m'en aller suivre la foule et flâner, anonyme, me laissant porter par les derniers vents de la fête, dans la forêt de joie. Ils voulurent me retenir et m'invitèrent à prendre un verre pour prolonger la soirée avec eux.

Non, il fallait les laisser seuls.

Durant tout le défilé, j'avais vu la main de Mme de Vannessieux frileusement blottie dans celle de Vouragan. Elle ne cessait de la caresser. Par moments, elle s'accrochait à son bras et se rapprochait de lui recherchant la sensation du corps du jeune homme contre le sien. On eût dit un véritable angora ronronnant dans les bras de son maître. J'admirais la force de Vouragan, capable de demeurer impassible sous l'effet de ces courants magiques.

Il était temps de les laisser seuls.

– Hé ! l'homme, tu nous abandonnes ?

Vouragan déclara que cette atmosphère de fête l'avait mis en appétit.

– Descendons au restaurant, proposa la marraine sur un ton d'animatrice.

– Mais pas à celui d'ici !

La grimace de Vouragan était à elle seule une longue phrase kigangoulou que seul je pouvais déchiffrer. Si je n'avais pas craint de lui faire des remarques en présence de Mme de Vannessieux, je lui aurais dit qu'il ne faut pas faire cette mimique-là devant des Baroupéens, surtout pas devant sa marraine.

– Pourquoi, mouton ? (Elle disait mouton en lui passant la main sur les cheveux.) Tu as quelque chose contre cette cuisine ? Tu sais, pour un restaurant de province, je la trouve délicieuse. Quant au service, ma foi...

– Ouais, peut-être. Mais j'étouffe. C'est comme si l'on était en résidence surveillée, ici.

Câline, Mme de Vannessieux plaignit son filleul, puis prit son visage dans ses mains, le regarda dans les yeux et avança ses lèvres jusqu'à celles de l'homme.

Vouragan bougonna en kigangoulou que cela faisait cinq jours et quatre nuits qu'ils vivaient enfermés dans la suite de l'hôtel, commettant péché magique sur péché magique avec des mi-temps seulement pour s'accorder un somme ou avaler un repas qu'ils se faisaient servir au lit. Vouragan adore la chose-là. Et en Mougangoulou qui se respecte, il n'a pas honte d'en faire état. Mais quand même !...

– Excusez-nous de parler grec, dis-je à l'adresse de Mme de Vannessieux.

– De rien, de rien. Je comprends, ça doit reposer. J'ai vécu cela lors de mon dernier voyage en Italie. Chaque fois que nous rencontrions un Français...

Voilà ! Je me disais bien que Mme de Vannessieux n'était pas une vulgaire Mouroupéenne. Elle plaçait, elle, le kigangoulou au niveau du français. Je lui en adressais un sourire de reconnaissance. Un sourire rapide, car plus je la regardais plus je comprenais la sensualité de grande classe qui enchaînait Vouragan à une dame de cet âge et je ne voulais surtout pas qu'elle découvrît dans mon regard la moindre étincelle de concupiscence.

La nuit venue, Vouragan avait beaucoup de mal à décider sa marraine à s'habiller et à aller se détendre au cinéma ou dans quelque dancing. Quand il s'y essayait, la dame, perfide et inflexible, marchandait la sortie contre une nouvelle performance. Plus tard, Vouragan m'a expliqué que les rideaux de la chambre n'avaient été écartés ce jeudi après-midi-là que pour m'accueillir et assister au défilé du balcon.

Mais je ne devrais pas jouer les tartufes. Nous avons, Kani et moi, un week-end où son mari était absent, fait quatre fois le tour de l'horloge sans quitter nos draps, dans une auberge de la forêt de Fontainebleau. Et Kani aussi bien que moi aurions doublé, triplé la mise si nous en avions eu la possibilité.

– Que nous proposes-tu, mouton ? avait roucoulé Mme de Vannessieux qui avait fini, sans doute à cause de ma présence, par renoncer à dîner sur place.

Vouragan avait décroché le téléphone d'ivoire et s'était entretenu avec la réception.

Quelques instants après, nous sortions de l'hôtel par la porte à tambour. Un personnage en uniforme de cocher avança la Chevrolet Bel Air aux pneus à flanc blanc. Vouragan, dans son costume croisé gris anthracite, coupe Blima, rehaussé d'une chemise de soie à col glacé, lui tendit, par-dessus l'épaule, sans le regarder, un billet de mille francs avant de prendre place au volant du véhicule. L'homme fit aussitôt le tour de la voiture pour aller ouvrir la porte arrière à Mme de Vannessieux qui s'installa avec une élégance d'artiste, veillant bien, lorsqu'elle s'assit, à ne pas décoller deux genoux dont je notais la délicatesse.

– Non, non, ma chérie, tu montes à côté de moi, sinon on me prendra pour le chauffeur nègre de madame.

Mme de Vannessieux exprima une opinion de patronage contre le racisme et les racistes.

Sur la banquette arrière, calé dans le coin droit, là où s'assoient les grands de ce monde, je savourais les délices de la vie. Les coussins étaient fermes et confortables. Vouragan, après avoir fait fonctionner l'essuie-glace, appuya sur l'accélérateur, et la Chevrolet Bel Air, tous chromes rutilants, sans bruit ni secousses, glissa dans la nuit nantaise comme un voilier sur une mer d'huile. Le tableau de bord, illuminé d'une lumière saphir, était aussi vaste que celui d'un avion. Je pensais aux taxis qui nous menaient du Beach au quartier Le Belge chaque fois que nous allions passer la fin de la semaine à Léo. L'enfant noir, installé fièrement dans une Studebaker (nous disions la Stioude), dix fois plus large et longue que toutes celles qu'on pouvait rencontrer à Brazzaville, s'identifiait, durant les quelques minutes du trajet, à des personnages de magazine.

Vouragan conduisait le véhicule avec l'assurance des propriétaires. Le toit glissa pour venir se plier doucement en un paquet derrière ma tête. Mme de Vannessieux indiqua qu'elle avait froid et se retourna pour me demander mon avis.

– Effectivement. Le fond de l'air...

– Dommage, commenta Vouragan, sec et imperturbable.

Obéissant aux ordres du magicien, le toit revint à sa position initiale.

J'ai regretté l'absence de Kani. Nous aurions formé deux couples splendides et, j'en suis convaincu, les deux femmes se seraient aussi bien entendues que mon frère et moi.

Au premier croisement, une Simca Aronde stationnait devant nous. Lorsque le feu passa au vert, le chauffeur tarda à démarrer. Vouragan klaxonna et les passants s'arrêtèrent, stupéfaits d'entendre les premières notes du *Pont de la rivière Kwaï*. Vouragan, aussi sérieux qu'un pilote d'avion, continuait à conduire, comme si de rien n'était.

– Tu vas parler, oui, espèce de sale bicot ?...

Il y a de la crânerie dans ma réponse, même si ma voix défaille un peu.

– Fais pas le con, bougnoul.

J'avance ma main en direction de mon cou. J'ai oublié que les cauris n'y sont plus. Sinon, je ne serais jamais venu me perdre à cette heure dans ce quartier.

– Halte ! Les mains en l'air ! Vous deux, fouillez-le ! Tout de suite.

Une séquence de film américain ! Le plus nerveux des policiers m'a passé les menottes et m'a obligé à monter dans la camionnette noire aux fenêtres grillagées. Un véhicule type foula-foula*.

Durant le trajet, j'entends dans le grésillement de la radio des messages incompréhensibles. L'homme à képi et pèlerine qui me fait face s'est composé un visage de pierre. Moi, je pense à ma mère.

Il faut, Andélé, respecter les commandements de Dieu et la loi des Blancs !...

Si elle voyait son fils entre deux policiers !...

Dans leur dialogue radio, les policiers parlent d'un fellaga. Ma gorge se serre et je me récite une prière, puis des formules du vieux Ngantsiala. Tels des défen-

* Minibus au Congo.

seurs d'une équipe qui vous « marquent », les deux policiers ne me quittent pas des yeux.

– Messieurs, je ne comprends pas. Je suis sûrement victime de...

Je veille à prononcer chaque syllabe comme il faut. Mon accent manioc n'est pas celui des Arabes. Mais les Baroupéens confondent tout. Alors je force un peu. Je chocorbite, essayant notamment d'imiter l'accent de Kani.

J'ai souvenir d'une autre nuit au poste de police.

Tout avait commencé par une poursuite du côté de la rue des Bernardins. Trois hommes en rangers, blouson de cuir et pantalon léopard tentaient de rattraper une fille dans la nuit. Trois voyous d'une tribu de sauvages qui venaient de surgir, quelques instants auparavant, dans la salle de la Mutualité, en hurlant « la France aux Français ! », alors que nous écoutions l'un des orateurs nous exhorter à nous rendre le dimanche suivant à une manifestation en faveur de la paix en Indochine. Dirigée par un homme à béret rouge, la tribu des sauvages était en proie à une crise d'hystérie. Profitant de l'effet de surprise, les attaquants avaient jeté dans la salle des grenades lacrymogènes et d'autres projectiles.

– La France aux Français ! scandaient-ils sur l'air des lampions.

– Mort aux cocos !

– Macaques, fils de putes !

Le temps de nous ressaisir et ils s'étaient enfuis par la porte du fond. Je me mêlai à ceux qui les poursuivaient, mais les sauvages s'étaient évanouis dans la nuit. Les hommes casqués en uniforme bleu qui ceinturaient les abords, la matraque à la main, prétendaient n'avoir rien remarqué. Faisant les cent pas pour se calmer les nerfs, les CRS nous regardaient d'un air menaçant. Non, ils n'avaient rien vu.

– Les salauds !

– C'étaient les fafas !

Sur les murs, près de l'église Saint-Nicolas-du-Chardonnet, on avait peint, par-dessus des affiches réclamant la libération d'Henri Martin, un cercle et une croix superposés.

– J'en étais sûr : les Jeune Nation !

Aïe, mam'hé ! Comme j'aurais voulu en découdre avec la tribu des sauvages ! La poudre des feuilles secrètes qu'on m'avait inoculée un jour à Ossio, dans la case du féticheur, produisait ses effets. *Natomboki*. Ah ! Comment traduire ? Le français n'est pas toujours la langue au carquois le plus fourni. Tremblant de rage, je m'apprêtais à retourner dans la salle, un goût amer dans la bouche. J'aurais voulu frapper alors. J'étais prêt à tuer, à massacrer, j'étais prêt à mourir. J'en aurais pleuré. Les préceptes de l'Oncle Ngantsiala sur le courage et l'honneur des circoncis battaient mes tempes.

L'affiche en faveur de la paix en Indochine avait été lacérée, et une injure raciste nous provoquait. Une injure tracée d'un pinceau épais, plongé dans une matière couleur d'excrément. Quelqu'un remarqua que l'inscription était encore fraîche. Je sentis le regard goguenard de l'homme casqué en uniforme bleu qui m'observait. Car c'était surtout à moi que s'adressait l'insulte.

Non, il ne fallait pas se laisser paralyser par la peur. Retourner au meeting ! Y retourner tout de suite.

– Salope !... Rattrapez-la !... Putain !...

Un garçon à blouson de cuir, pantalon léopard et rangers, plié en deux, se tenait le visage dans les mains, tandis qu'un homme en uniforme bleu le soutenait. Trois comparses de la victime sortirent de l'ombre et se mirent à poursuivre la fille. Son ombre passa devant moi, détalant comme une antilope aux abois. Les sauvages en pantalon léopard et blouson de cuir, hurlant pour s'exciter, brandissaient des chaînes de vélo et des ceinturons. Quelqu'un tendit sa jambe et l'un des poursuivants s'écroula. Avant qu'il ne se relevât on lui assena un coup de pied sur la tête. Quand je les rattrapai, rue des Bernardins, les deux autres sauvages avaient coincé la fille dans l'encoignure d'un porche et cognaient comme des boxeurs enragés sur un sac de sable.

– Putain ! Fille à nhaqués !

– Fille à nègres !

Les hurlements de la voix aiguë me donnèrent la chair de poule. Mais instantanément les grigris de l'initiation se sont mis à agir et mon sang a chauffé mes joues. J'ai frappé de la tête. Gba ! Ainsi qu'un nègre bien éduqué. Une fois, deux fois, plusieurs fois ! Gba, gba, gba ! André redevenait le bélier, le taureau, l'enfant indomptable. À en rendre jaloux un pur enfant de Kinkala.

Les policiers ont élevé la voix, et l'un d'entre eux m'a rudoyé en me secouant comme un arbuste dont il aurait voulu ramasser les fruits. Une fois encore il m'a traité de fellaga. Je proteste et menace de faire jouer des relations. Je cite les noms de nos députés : Tchicaya, Opangault. J'invente des liens de parenté. Ils ne comprennent pas et tonnent plus fort. Je prononce les noms de Lamine Ngueye et de Senghor. Après tout, les Africains sont tous parents, non ? Puis je regrette cette lâcheté. Car au fond je suis bien un fellaga. Dans la rue, les enfants ne m'appellent-ils pas Ben Barek, pour les plus gentils, Sidi cacahuète, le bicot, pour les autres ? Privés d'un repas ou de chauffage l'hiver, ils me lanceraient des pierres en m'accusant d'être responsable de leur sort. Ils proclameraient que les dieux réclament mon sacrifice pour la santé de la société. Quand je lis les journaux, je suis un Nordaf. Quand je traduis Sophocle, quand j'explique les guerres puniques à mes élèves, quand je réhabilite le Jugurtha du *De Viris*, quand je lis Confucius, Montaigne ou *Le Contrat social*, je suis aussi un fellaga. Alors, pourquoi en avoir honte ?

On joue de l'intimidation pour que je parle, pour que je donne les noms des « autres FLN ».

Il est impossible que je ne sois pas du groupe qui

leur a filé entre les doigts, dans les parages du stade Malakoff.

– Voulez mes papiers ? Les avez déjà !

Un gradé de passage leur donne des consignes de calme et de patience. Ne pas faire les cons, ne pas s'énerver ! On a examiné minutieusement la texture des pages de mon passeport. Il a ensuite circulé de main en main et finalement disparu dans une pièce à côté.

– Alors, on se met à table ?

J'ai commencé à donner mon emploi du temps. Depuis le début de la journée pour qu'ils comprennent bien.

– Eh, mignon ! La gueule de qui tu veux te payer, hein ?

Je ne vais tout de même pas leur raconter mon premier séjour ici. Cela ne regarde que moi. L'homme en uniforme bleu me prend par le revers de la veste et approche son visage du mien. Son haleine m'écœure. Un mélange de sueur et de tabac noir. Il doit fumer des Gitanes papier maïs.

– Tu veux qu'on te fasse une autre tête ? On en a des sculpteurs parmi nous, tu sais...

Je songe aux articles que j'ai lus sur la torture en Algérie, et une sueur froide imbibe mon front.

Les paroles de Ngantsiala sur le courage du circoncis me reviennent, mais j'ai du mal à bien les percevoir. C'est comme si le vieux était enroué ou fortement affaibli. Il s'exprime d'ailleurs cette nuit en un kigangoulou particulièrement archaïque.

– Qu'est-ce que tu viens foutre à Nantes ?

Le policier qui s'énerve et parle un argot relevé ressemble au Gras-Double de *Tant qu'il y aura des hommes*.

En revenant de l'école, j'avais ramassé une revue abandonnée sur le trottoir. On y parlait de la guerre en métropole. Beaucoup de jeunes de Gamboma et certains membres de la famille y étaient allés. Nous les avions vus passer par Ossio. Des camions les transportaient vers une destination inconnue, loin, bien plus loin que Brazzaville. Les gars étaient entassés à l'arrière des véhicules, en compagnie d'autres qui venaient de Fort-Rousset, d'Impfondo, d'Ouesso, de Bangui et même, assuraient les adultes, du Cameroun et du Tchad. Avec la poussière qu'ils soulevaient en passant restaient suspendues un moment des chansons émouvantes que nous avons fini par apprendre et que nous entonnions à notre tour quand nous voulions montrer que, nous aussi, nous étions de petits braves déterminés à marcher au pas cadencé jusqu'au champ d'honneur.

Nous avons cessé d'avoir de leurs nouvelles.

L'Oncle Ngantsiala affirmait que personne ne les reverrait jamais parce que les Baroupéens étaient, en certains domaines, aussi odieux que les tribus ennemies et que leur histoire de volontariat-là pour sauver la maman-patrie, ce n'était rien d'autre qu'une combine boutiquée de toutes pièces – comme l'avait été celle de l'impôt des Trois Francs – mais, cette fois, pour se procurer des esclaves ; et que ça n'avait pas manqué : nègre-couillon avait donné les plus braves de ses fils.

– Les volontaires, si c'est les volontaires-là, ont été appâtés puis ferrés. On leur a changé l'âme et peut-être la peau. Avec leurs médicaments-là !... Ils doivent aujourd'hui travailler pour les Baroupéens, enchaînés dans des plantations, par-delà les montagnes, les nuages et les vents, ou même tout simplement sous terre.

– Dans la terre ?

– Vrai de vrai, les Baroupéens condamnent des gens à travailler dans le ventre de la terre. Y compris leurs propres frères...

– Comme les morts ?

– Non, comme les vers. Je t'ai déjà dit, Andélé, que les morts ne demeurent pas sous la terre. Ils sont dans les forêts sacrées, dans l'air, dans l'eau, dans la nuit ou le brouillard. Quand ils ont faim, quand tu te conduis mal ou quand tu risques de les oublier, ils viennent rôder en imitant le bruit du vent.

Selon la revue ramassée, la guerre n'est qu'une histoire de Blancs. J'ai feuilleté de la première à la dernière page, pas de Noirs. Mais on y parlait du général Leclerc. Un homme au visage osseux, avec des poils de pinceau entre le nez et la lèvre d'en haut, façon Errol Flynn. Il était coiffé d'une calebasse à la jugulaire débouclée.

Ses troupes volaient de victoire en victoire.

Leclerc, c'était mon nom, avant que nous allions sur l'île d'Ebalé ! Leclerc, qui donc pouvait-il être sinon le Commandant ? Avec le temps, il sera devenu général.

Mon cœur bondit.

Je le savais. Il ne nous avait pas abandonnés. J'avais envie de crier la nouvelle dans le quartier. C'était par devoir, devoir de la patrie, que le Commandant était retourné en métropole. Bientôt le héros reviendrait près des siens !

J'ai décortiqué jusqu'à son moindre détail le récit de

la bataille de Koufra : le déplacement des troupes et le mouvement qu'elles avaient opéré ; la reconquête de tous les postes italiens du Fezzan ; la marche dans le désert : mille six cents kilomètres ! Et je calculais : Brazza-Gamboma, aller, retour, encore aller... Mam' hé ! Vraiment l'homme-là ! Lui et ses gars devaient chanter avec plus de vigueur encore que les soldats qui traversaient le village dans les camions.

Je lisais, relisais et apprenais par cœur son discours dans l'oasis. Son serment de ne déposer les armes qu'après avoir fait flotter le drapeau français sur Metz et Strasbourg.

Je me mis à fréquenter régulièrement la librairie portugaise, près du marché du Plateau, guettant les arrivages de la presse en provenance d'Europe. Je lisais dans la boutique, jusqu'à ce que le magasinier me chasse, l'épopée des armées alliées. Quand M. Ducas, chez qui Ngalaha avait, à l'époque, obtenu une place de lavadère*, exigeait le silence pour écouter les nouvelles sur Radio-Brazza, j'allais discrètement m'asseoir sur la véranda, juste sous la fenêtre du salon, et tendais religieusement l'oreille.

Radio Paris ment,
Radio Paris ment,
Radio Paris est allemand.

En reprenant la ritournelle, je frappais dans mes mains pour lui donner le rythme qui lui faisait défaut. Je frappais doucement parce que, si M. Ducas m'avait entendu, il m'aurait délogé de mon refuge et aurait interdit à Ngalaha que je revinsse la voir aux heures de travail. Quelquefois les Baroupéens ont le cœur tellement sec !...

* Lavandière ? Les colons disaient *lavadère*, dont je n'assurerais pas l'orthographe.

Leclerc était parti du Cameroun. De là, il s'était rendu au Tchad. En fait, les journaux oubliaient le début de son épopée. Le véritable point de départ se situait au Congo. Moi, André, son fils, je pouvais l'attester. Oui, m'sieur ! Et lorsque, le dimanche, je servais la messe à Sainte-Anne-du-Congo, je priais pour que le Bon Dieu aidât papa à gagner d'autres batailles, jusqu'à la délivrance de Paris. Je priais en fermant les yeux pour donner plus de force à mes vœux afin qu'ils montassent là-haut, là-haut, plus haut que la fumée des cheminées des bateaux, jusqu'aux oreilles de Papa Bon Dieu.

Ni les souvenirs de ma mère ni la tradition orale que rapporte Ngantsiala ne me permettent de me faire une idée claire du profil de mon père.

Était-il administrateur des colonies ou bien l'appelait-on Commandant par déférence ? Beaucoup de Blancs reçoivent ce titre seulement pour indiquer la place qu'ils tiennent dans la hiérarchie de notre société et pour bien souligner le rôle qu'ils y jouent.

Quel était son prénom ? Suzanne, affirment avec constance Ngalaha et Ngantsiala. D'après les archives de la rue Oudinot, il y a eu, dans ces années-là, deux Leclerc dans l'administration coloniale au Moyen-Congo. Rien n'indique s'ils avaient ou non des liens de parenté. L'un d'eux se prénommait Simon, l'autre César, qui me semble plus proche de Suzanne, encore que, j'en conviens, on puisse en débattre.

Ma date de naissance n'est pas un bon point de repère. Après le séjour dans l'île du pêcheur Ebalé, on a procédé à un jugement supplétif pour m'établir un nouvel état civil afin de brouiller les pistes. En fait, je suis peut-être né une année avant, ou une année après celle que mentionnent mes papiers officiels.

L'ouvrage du médecin César Leclerc, paru aux éditions Firmin-Didot, m'informe sur mon pays et m'en fournit une connaissance livresque et théorique que la connaissance plantaire de la brousse ne remplace pas. (Andélé, la femme qui prépare le meilleur pondou n'est pas la référence pour savoir la valeur nutritive des feuilles de manioc, du poisson fumé et du pili-pili !)

Mais ces *Carnets de voyages* ne me font guère avancer dans la recherche de mes origines.

Quand j'expose cet embrouillamini à Vouragan, il hausse les épaules et me renvoie à une phrase d'Einstein que Mme de Vannessieux aimerait à répéter : « Nous avons tous les mêmes origines : le singe. »

Comme si cela aidait l'orphelin à vivre au quotidien.

Joseph ne parlait jamais de lui. Attitude de héros, relevait Ngalaha. L'homme-là avait fait la guerre. Pas celle là-bas, là-bas, mais celle que les Baroupéens venaient juste de terminer. Lui c'était, si vous préférez, un récent combattant, pas un ancien.

Si j'interrogeais Joseph, il répondait par une moue de mépris, haussait les épaules. Son regard devenait d'acier. Silencieusement, il se dirigeait vers le buffet du salon pour se verser sa mesure de whisky.

Selon Ngalaha, il aurait été fait prisonnier par les « Aliments ». Ma mère, que j'essayais de reprendre, avec précaution, me remettait en place, d'abord pour avoir osé l'interrompre – même avec des précautions, ça ne se fait pas –, ensuite pour me rappeler que sans elle je ne saurais pas le français. Bref, Joseph se serait évadé à plusieurs reprises. La dernière fois, on allait l'exécuter net. Il faisait face, les yeux bandés, au peloton, et le prêtre avait déjà donné l'extrême-onction quand la tribu des Grands Blancs était arrivée.

Depuis lors, j'ai eu l'occasion de lire *L'Idiot* et la vie de Dostoïevski. Chaque fois que je médite sur l'étrange solitude de Joseph, je songe au prince Mychkine, ou bien l'inverse.

Malgré l'heure et le crachin, des bandes infatigables montaient et descendaient la rue Crébillon, braillant des chansons à boire et à forniquer. N'eussent été les paroles des refrains, on aurait pris ce monde en farandole et la main dans la main pour de grands enfants dans une cour de récréation. Un gamin m'aborda. Je n'avais pas compris, à cause du charivari, et voulus lui faire répéter. Mais à peine avais-je ouvert la bouche qu'il me décocha une poignée de confettis dans le visage et disparut, englouti dans la vague d'un monôme. Je crachai en toussant les pastilles de papier. Des solitaires dans la cohue ou des curieux sur les balcons étaient à l'occasion pris à partie sur l'air des lampions par des étudiants, la faluche sur l'oreille ou renversée sur la nuque. En la saisissant par-derrière, un homme appliquait sa main remplie de confettis dans la bouche d'une jeune fille qui craignait d'étouffer.

Un mélange de sueur et de gouttes d'eau faisait reluire les visages et plaquait les cheveux sur les tempes, les nuques et les crânes. Un halo entourait les lumières de la rue. Une ronde tournait à vive allure, au rythme d'une chanson de carabin, autour d'un bibendum dissimulé derrière le masque d'une Mistinguett chevaline. Le monstre alla se placer devant un garçon, lui désigna un pavé sur lequel tous deux s'agenouillèrent. La ronde s'immobilisa, martelant à tue-tête les paroles égrillardes du refrain de la chanson. Je poursuivis mon chemin.

– Alors, Sidi Cacahuète, femme blanche bien belle ? Bonne pour faire miamiam, hein ?...

L'individu qui m'apostrophait était une espèce de bonhomme aux joues couperosées.

– Eh, Sidi, toi pas comprendre ? Bien bon baiser femme blanche, non ?

Une bande chantant à tue-tête formait une ronde autour de moi.

Dans la forêt, on entend le tam-tam des négresses
Qui astiquent le bambou des négros, oho, oho...

Ils braillaient, mais l'air était de qualité. Rongeant mon frein, j'identifiai le plus robuste des garçons. C'était le rougeaud qui m'avait abordé le premier. Prenant brusquement ma décision, je fonçai sur lui, l'empoignai par le col et lui assenai un coup de tête en plein dans le menton. Il s'écroula et j'entendis les cris aigus des filles au bord de l'hystérie. Je regrettai déjà mon geste quand je me sentis bousculé par-derrière et jeté à terre, piétiné comme dans une mêlée de rugby. Quand je me relevai, tous avaient disparu, fuyant dans une ruelle qui donnait dans la rue Crébillon.

J'aurais dû rentrer. Je n'avais rien à faire dans ce tohu-bohu.

Des haut-parleurs placés aux étages des immeubles de la place Royale lançaient au vent les notes d'un disque grésillant et chevrotant. Des couples glissaient et s'étourdissaient au rythme d'une java.

Insensibles au vacarme de cette jeunesse gâtée, des couples endimanchés tournaient, tournaient, tournaient, à en perdre l'équilibre. La jeunesse populaire était agacée par le chahut de ces messieurs et demoiselles qui gâchaient le plaisir de leur fête. On sentait dans leurs yeux une violence contenue quand leurs regards se posaient sur les monômes et les faluches.

Les danseurs qui, en raison de la foule, se gênaient s'écartèrent soudain pour les laisser évoluer tout à leur aise. À la manière et au rythme du danseur de kébé-kébé*, ils glissaient en harmonie tout autour du bassin d'où jaillissaient des jets d'argent.

C'est alors que j'eus le sentiment d'apercevoir Fleur sur un balcon.

Mirage, bien sûr.

Des couples subjugués par la java changeaient leur rythme et, sans en avoir l'air, essayaient de calquer leur pas sur celui du couple mondain. Dissimulée derrière un loup noir serti de paillettes argentées, la chevelure de jais de la danseuse jetait des éclats qui jouaient avec la lune et les lampes de la fête. Des gants de satin noir qui montaient jusqu'aux coudes rehaussaient la délicatesse de sa peau chair de pomme.

Vêtue d'un péplos de neige, cllc faisait penser à je ne sais quel personnage de tragédie grecque.

– Quels beaux danseurs ! s'exclama l'une de mes voisines.

La java se termina, et la foule avala les danseurs. Les cheveux gominés du cavalier luisaient encore au-dessus des têtes anonymes. La femme au péplos avait disparu.

* Danse des Mbochis, au cours de laquelle le danseur, caché sous un ample drap de raphia, tourne comme une toupie, à un rythme étourdissant.

Rien ne m'en faisait démordre, j'avais retrouvé la trace de mon père ! Dès que j'étais seul, je me le répétais en esquissant des pas de danse et en effectuant des sauts de victoire.

Un jour, à l'école, j'ai confié mon secret à un condisciple. Mais, dès que celui-ci prit connaissance de la photo du général Leclerc, il pouffa de rire.

– Tu t'es vu dans une glace ?

Son sourire goguenard et sa manière de retrousser ses lèvres, comme celles des cochons, m'offensaient.

– Toi, un fils de général ? Mais qui connaît papa de mulâtre ? On connaît seulement vos mères, non ? Ton père, c'est un petit commerçant portugais, oui. Un moundélé madessou.

Ah ! Dieu de Dieu ! Vous le savez, un circoncis préfère la mort à l'humiliation. Même estropié, il doit gifler l'insolent.

Mais mon condiscible riposta car, dans sa tribu aussi, plutôt la mort que...

Et le coup de poing de ce petit salopard m'ébranla. Je me léchai la lèvre pour sucer le sang à l'endroit où il m'avait blessé. Un Mougongolo, fils de Ngantsiala, de Leclerc et de Ngalaha, n'avait pas le droit de mordre la poussière. Je n'aurais plus osé regarder aucun membre de la tribu dans les yeux. Discrètement, j'ai touché mon grigri et répliqué par un coup de tête-bélier-lari, à la manière du village Ossio. L'enfant s'écroula. Je pris peur et me mis à pleurer tout en essayant de le ranimer. Mais l'enfant ne bougeait plus.

Mort ?

Je ne pouvais, à mon âge, supporter la vue d'un cadavre. Je criai et courus me réfugier dans le giron de maman, qui ne comprenait pas ce que je lui chantais.

Le même soir, la mère du garçon était venue protester auprès de la mienne. Sans même lui laisser le temps de répondre, elle avait insulté et menacé Ngalaha lui criant de retourner dans son pays ; que Brazzaville n'était pas la ville des Bagangoulous ; que depuis que les femmes du Nord étaient venues s'installer ici, elles débauchaient les hommes de Kongo dya Ntotila et leur donnaient des maladies qui pourrissaient leur sexe ; qu'à l'odeur seulement, une Moukongo pouvait déterminer si son homme avait touché une Mougangoulou.

Ngalaha, les mains aux hanches, la considérant de toute sa hauteur, lui a craché une bordée d'injures, comme peu de gens savent en cuisiner.

L'autre a insulté le sexe des parents de Ngalaha. Mais c'était ignorer à quelles ressources Ngalaha savait puiser, dans le trésor du lingala.

La foule qui s'était massée en avait le souffle coupé. Ngalaha, si respectée dans le quartier, avait récité des versets et des versets de méchancetés empoisonnées, toutes plus blessantes que des lames Gillette. L'autre, interloquée, a sauté sur Ngalaha qui l'a terrassée. Et moi je me suis mis à prêter main-forte à ma mère. Ce n'était pas facile, parce qu'il fallait battre la femme sans toucher Ngalaha. Alors j'ai tordu les pieds de cette espèce de bordelle, me suis mis à la griffer, à lui jeter de la poussière... Heureusement qu'on avait réussi à nous séparer. Heureusement surtout pour la Moukongo, car nous allions la tuer ! Heureusement peut-être aussi pour nous, car nous aurions été amenés à la maison d'arrêt. Et là...

Tandis qu'on la retenait, ma mère demandait si l'autre n'avait pas vu ma peau. Une peau de Blanc ! Hein ? Avait-elle vu ? Est-ce qu'elle était capable, avec ses yeux et son odeur de poisson-là, de faire un enfant avec un Blanc, elle ? Est-ce que même un Mouroupéen pouvait s'intéresser à une voyelle* pareille ? Et si j'avais corrigé son fils, c'est qu'il l'avait cherché ; que je ne l'avais même pas assez bien cogné ; qu'elle allait, d'ailleurs, me corriger normalement, pour m'apprendre à être trop câlin.

Dieu merci, mère ne m'a pas battu. Mais elle m'a demandé par la suite de lui confesser la vérité.

J'ai dû lui montrer la photo du général-papa. L'expression n'est pas, je le sais, très heureuse. Mais c'était celle de mon âge.

Elle a froncé les sourcils et a tendu les bras pour mieux voir. Elle est même sortie pour examiner l'épreuve à la lumière. En me rendant mon document, elle aussi, à ma grande déception, a conclu que l'homme aux poils de pinceau au-dessus de la lèvre supérieure, façon Errol Flynn-là, ce n'était pas le Commandant.

– Non ?

– Non**.

– Bien sûr, tous les Baroupéens se ressemblent à s'y méprendre. Mais la nuit, dans une forêt, au milieu d'un régiment de Mindélés, j'indiquerais, sans une seconde d'hésitation, lequel est le Commandant Suzanne Leclerc.

Quelques années auparavant, j'aurais cru ma mère. Ce jour-là, elle n'a pas vu mon regard sceptique. Je n'ai

* Une fois encore, mon éditeur, décidément trop européocentriste, veut me forcer à expliquer. Selon lui, le lecteur français ne peut comprendre qu'il s'agit du féminin de voyou.

** En fait, elle a crié *wapi*, pour ceux qui peuvent comprendre.

pas osé lui dire qu'elle exagérait. Les fils doivent respecter leur mère. Mais j'ai pensé que le Leclerc du Fezzan-là, s'il n'était vraiment pas le Commandant, devait, au moins, être mon oncle. Mon Ngantsiala roupéen, quoi.

Tantôt Joseph proteste qu'il n'est pas nègre, lui, tantôt, il parle des Blancs en recrachant le mot comme une arête de poisson. Un jour, je l'ai entendu affirmer qu'il n'était pas un demi-demi, mais un deux cents pour cent : cent pour cent café, et autant pour cent lait ! Allez donc comprendre...

Peut-être que, certains jours, la boussole se détraque vraiment, comme le colportent les langues de serpent.

Dans les conversations de bière et de rumba, des voix de meneurs affirmaient que c'était un étranger. D'évidence pas un Noir, avec cette peau de plantin bouilli. Mouroupéen peut-être. Mais de quelle race alors ? Pas française en tout cas. On n'a jamais vu des gens de ce patois s'appeler Veloso. Un Angolais ou un Portugais, oui. Deux tribus pour elles identiques.

Un bâtard qu'un commerçant portugais fabriqua à la hâte en chevauchant par surprise, et à la vitesse poulet, une pauvre fille de force. Savez, cette racaille qui s'enrichit de nos désirs, qui nous tient par ses crédits et dissimule ses sous dans des chaussettes. Alors qu'elle se couche, comme nous, sur la natte. Ah ! que vienne seulement le jour où on fera la chasse à tous ces étrangers !...

Noir ? On ne lui connaissait ni famille ni tribu. D'ailleurs, savez bien, être Noir n'est pas une question de peau mais de racines.

D'autres encore prétendaient que Joseph était un espion.

En réalité, les crapauds qui bavaient sur lui ne l'appelaient même pas Portugais : ils disaient *moundélé madésou*, Blanc fayot, si vous voulez.

Le sol couvert d'une moquette de confettis ressemblait à un ciel pointilliste. Charrié et ballotté ici et là par ces courants et tourbillons de corps en fête, je me frayai un sentier à la recherche d'une position d'où je pourrais observer les danseurs. Il ne s'agissait pas des rythmes de chez nous, ceux dont mes reins connaissent les chemins et les secrets, mais leur pouvoir n'était pas moindre sur les sens, le cœur et l'esprit. La soie des cheveux de la femme au péplos, le mystère de son loup, son sourire à peine ébauché tout à l'heure, avaient réveillé un étrange tropisme sous le charme duquel je me laissais guider. J'en oubliais ma peau et me mêlais à la licence. L'onde musicale continuait encore à parcourir la corde touchée, et je ne sais quel parfum de bonheur enfiévré flottait à mes narines. Il suffirait que je la voie danser encore, comme tout à l'heure ; que je la voie seulement... Même dans les bras d'un autre...

Par instants je me ressaisissais et, critique, j'observais avec hauteur ce public de midinettes et de coqs des faubourgs. Je n'avais pas de cavalière et ne connaissais personne. J'aurais dû renoncer. Dans la chambre de Vouragan, des livres m'attendaient. Il fallait rentrer écrire avant que ne s'évaporent ces impressions dont j'étais tout imbibé : l'ambiance du carnaval ; les chars ; prendre des notes en vue d'un ouvrage encore très vague dans mon esprit ; ou plus simplement faire le point dans une lettre que Kani devait attendre. Ma place n'était décidément pas dans cette atmosphère de fin de noces campagnardes. Je n'avais au demeurant ni le talent ni la chance de Vouragan qui, lui, dans ces circonstances, ne revient jamais bredouille dans son lit.

Tant mieux pour lui...

Une bande de gorilles, le buste moulé dans des maillots rayés, se tenant par l'épaule, braillant, sur l'air d'une marche militaire, la renommée de leur club, surgit au milieu des danseurs. Marchant l'amble, elle progressait à la manière de joueurs de rugby qui vont à la mêlée. L'un des gaillards heurta de la tête un couple, et l'homme répondit par une manchette. Une échauffourée, quelques coups perdus, des insultes, des cris aigus de voix hystériques, et l'équipe se sauvait tandis que le danseur victime du passage des gorilles, retenu par sa cavalière, rugissait qu'il allait les rattraper. D'autres gens s'interposèrent. Les rugbymen avaient déjà buté quelqu'un. On avait appelé la police. Ils allaient voir si on les rattrapait, ils allaient voir... La cavalière, le regard horrifié, essuyait le visage de son ami avec un mouchoir.

La fête continuait et, reprenant graduellement ses droits à la faveur d'une danse lente, étouffait les dernières flammes de l'incident.

C'est alors que j'aperçus, de l'autre côté de la place, le péplos immaculé. Les bras croisés, la femme aux membres délicats regardait les danseurs par-dessus l'épaule de quelqu'un devant elle. Un homme, différent de celui qui semblait l'accompagner tout à l'heure, se penchait et lui parlait, un sourire entreprenant aux lèvres. Les bras croisés, le corps raide, elle ignorait la ritournelle que le joli cœur susurrait près de son oreille.

Je me déplaçai pour me rapprocher d'eux.

Tiens, une fois encore, j'aurais juré que c'était Fleur, sur ce balcon là-bas...

Sottise. Il y a plus d'une chevelure rousse dans cette ville...

Je n'étais plus qu'à quelques pas de la femme au péplos. Elle ne me voyait pas. L'homme poursuivait, avec des manières épaisses, sa cour. Maintenant je le distinguais mieux. Il se donnait en spectacle à un public de copains hilares, impressionnés par son audace. Elle se déplaça, et la pression de la foule la poussait dans ma direction. Contrairement à ce que j'avais cru un peu plus tôt, personne ne l'accompagnait, j'en étais désormais sûr. Je me suis avancé et, effronté, j'ai planté mon regard dans les fentes de son loup.

Elle n'a pas dû entendre mon invitation ni déchiffrer le mouvement de mes lèvres. La femme au péplos a fait des pas d'automate dans ma direction et nous nous sommes mêlés aux danseurs autour du bassin de la place Royale.

Par deux fois au moins j'ai cru apercevoir, sur un balcon de la place Royale, Fleur en train de m'épier. Mais, dès que je regardais plus intensément, elle disparaissait. Je me disais qu'il s'agissait d'un mirage et y voyais la preuve que la fille occupait trop mon esprit. Il fallait que j'abandonne au plus tôt cette ville.

Je ne comprenais pas ce qui pouvait m'attirer chez cette gamine capricieuse. Sa démarche de ballerine, ses lèvres de signares, ses cheveux ? Ceux de César Leclerc produisirent également un tel effet sur les populations de l'Alima qu'ils l'affublèrent d'un surnom en rapport avec ce phénomène.

> *« Chez les indigènes africains »,* écrit-il dans ses Carnets de voyages, *« tout Blanc a un nom, mais un nom qu'on lui impose. Ainsi Stanley, entre Issanghila et Manyenga, sur le bas Congo, ayant eu besoin de faire jouer la mine pour frayer un chemin aux pièces du vapeur qu'il allait monter au Pool, a été surnommé* Boula Matari, *c'est-à-dire* le Casseur de pierres. *Il voyageait alors pour le compte de l'État indépendant ; aussi, depuis cette époque, les indigènes ont-ils étendu à tout agent du nouvel État cette appellation énergique.*
> *» L'ex-résident de Brazzaville, M. de Chavanne, tireur des plus habiles, a été baptisé, sur les bords du Pool,*

du nom de Tati Nyama*, *autrement dit* Père de la viande. *Ce nom singulier est dû à ce que, journellement, M. de Chavanne donnait aux Batékés la viande des hippopotames qu'il tuait.*

» M. de Brazza, lui, est toujours commandant, *aussi bien parmi les Pahouins de l'Ogooué que chez les Afourous de l'Alima.*

» Tippo-Tib lui-même, le richissime Arabe, le véritable chef de l'Afrique centrale, devait son nom à un tic tout particulier : quand il parlait, il clignait fréquemment des yeux, d'où son sobriquet de Tippo-Tib, surnom de guerre, cela va sans dire, car son véritable nom était "Hameth ben Mohammed ben Youmah Limariabi". En Europe, peu de personnes le connaissent sous ce vocable.

» M. de Greshoff, le premier négociant européen qui soit allé aux Falls, est connu, sur tout le Congo, sous le surnom de Foumou N'tangou, *qui signifie :* Prince Soleil. *D'abord, il est bon de dire qu'aux yeux des indigènes tous les Européens occupant une certaine situation sont des* foumou (princes). *À ce nom, ils ont ajouté celui de* soleil, *parce qu'ils ne voyaient M. de Greshoff qu'au soleil levant et que, pendant tout le temps que l'astre-roi éclairait l'horizon, cet Européen restait parmi eux. La nuit venue, il se retirait chez lui, pour ne reparaître que le lendemain.*

» Moi-même je suis, pour les gens de l'Alima, Souki Motani, *le* Blanc aux cheveux rouges.

» Certes, ce sont des détails secondaires que je donne ici, mais qui n'en sont pas moins bons à recueillir ; car j'estime qu'il n'est petit renseignement qui ne possède son utilité. Évidemment, tous les Blancs qui habitent cette partie de l'Afrique connaissent les particularités que je signale, et ils trouveront peut-être puéril que j'en fasse mention. Mais qu'ils sachent bien, ces chers Africains, que ce n'est pas exclusivement pour eux que

* Il y a là soit une coquille, soit une erreur de César Leclerc. C'est « Tata » et non « Tati » qu'il faut, bien sûr, lire.

j'écris et que c'est aussi et surtout pour les Blancs d'Europe. Tout le monde n'a pas la chance de pouvoir venir étudier ici in anima vili *; il faut donc que ceux qui s'y sont rendus apportent le plus de pierres possible à l'édifice africain ; et c'est pour ce motif que je ne ferai grâce à mes lecteurs d'aucun menu détail, parlant aussi bien du ricin qui croît à l'état sauvage en pleine brousse que du coléoptère géant qui ne se rencontre que dans cette partie du monde. »*

Au carnaval de Nantes, j'ai valsé, valsé, pivotant, droit sur mes jambes, sans perdre l'équilibre durant deux reprises successives dans les bras de la dame au péplos. La lune ajoutait à la clarté des réverbères et des lampions. On se demandait, entre deux notes, entre deux verres de muscadet d'or, si ce n'était pas le soleil de minuit. Plus s'accéléraient les tourbillons de l'accordéon, plus elle se retenait à moi, s'agrippant, nouant son corps au mien. Le port de tête royal, le buste cambré, je guidais le bateau de la danse, maître de moi et diffusant mon assurance. Sur une mélodie d'Europe, dans d'amples mouvements de rotation, nous balayions l'espace au rythme du danseur de kébé-kébé.

Lequel des deux, à la fin de quelle danse, a pris la main de l'autre, l'a pressée et l'a gardée dans la sienne ? Quelle importance ?

Nous ne nous connaissions pas, n'avions échangé aucun mot. Juste quelques effleurements, puis quelques pressions de mains, des caresses à peine esquissées et un ou deux baisers furtifs dans le prétexte de la danse. Mais tout se déroulait comme une symphonie préréglée, obéissant aux brouillons ébauchés, dans les moments incandescents de nos rêves d'adolescents.

Qui donc, le morceau terminé, a d'abord plongé ses yeux dans ceux de l'autre ? C'est mal raconter que d'indiquer que nous nous regardâmes. J'avais, à l'issue d'un baiser, détaché son loup et l'avait fourré dans ma poche. Le menton relevé, nous nous défiâmes sans un mot, chacun fier de son audace. Nous n'avions pas honte d'afficher à la ronde l'incendie dans nos yeux. J'ai voulu lui demander de quel navire elle débarquait, ou bien quel vent l'avait poussée jusqu'à ces rives ; à quelle escale avait-elle trompé la vigilance d'Ulysse ou de Pâris. J'ai voulu lui déclarer qu'elle était un rameau de flamboyant porté par le sirocco, mais me suis tu de peur de bégayer ; de crainte d'arrêter le flot qui courait dans les artères ; pour ne pas surtout distendre la tension de l'arc.

Ce fut pourtant, madame, comme de me prosterner au pied d'un Sacré-Cœur. Je m'attardais à regarder le dessin de votre visage. Celui d'un personnage de Delacroix dont je n'ai pas retenu le nom. Vos bras avaient la couleur d'un sorbet de goyave pâle. Quand vous avez entrouvert les lèvres, comme pour un soupir, j'ai pensé à celles des mulâtresses et, sans le demander, j'ai bu, sauvage, à la cuillère de votre bouche, une pâte de sucre, de fruit et de parfum qui irradia mes muscles d'une douce fièvre.

Quand, après une goulée, nous reprenions notre souffle, nous nous taisions encore. Pas un mot durant les danses. Il ne faut même pas tousser quand passent les dieux. Pas un mot non plus après. Nous étions tout à l'écoute des pulsations de nos artères, laissant descendre en nous le sirop du bien-être. Pas un mot au cours de cet itinéraire le long des rues tristes de la ville qui, résignée, les volets clos, rangeait déjà les habits de la fête.

Vous m'avez offert, dans la chambre en désordre, la lente ascension du souffle qui n'ose, le halètement régulier du ressac contre le sable. Je me suis aspergé du diamant de vos flots. J'ai plongé dans l'eau salée et vous m'avez appris les algues de neige, les madrépores et les lucioles des grands fonds. J'ai vécu l'instant de sécrétion des perles éblouissantes. Oh, dieu, mon dieu ! Ce cri de gorge de la vague qui rompt le silence et jaillit droit vers le firmament !

Quand la dernière gerbe de feu retomba sur le lac, votre visage était aussi lisse et rayonnant que la chanteuse du chœur suspendue aux doigts du chef d'orchestre.

Écoutant nos artères mesurer le temps, la dame au péplos m'accorda son premier sourire, et son baiser sur mon nez fut un chant sur la branche. Heureuse de sa lassitude, elle ferma les yeux, pour mieux nous voir encore. Une chaude rosée couvrait nos corps aux muscles assouplis.

– Ton nom ?

– Vin de palme !

Elle a ri et m'a serré contre son sein. J'ignorais cette chaleur et telle tendresse. La Grecque du temps des dieux effleurait ma peau pour palper un galet des mers lointaines.

– Ton pays ?

Sa voix était celle d'une mère qui dit un conte à l'heure du sommeil.

Mes mains flattaient son corps et se perdaient dans les voiles de sa chevelure.

– Devine.

Et je l'ai laissée voguer de continent en continent. En Inde, en Amérique, aux pays des oasis, ponctuant chaque escale d'un mouvement négatif de la tête. Son émerveillement à reprendre le voyage me ravissait. Jouant à la marelle, elle a sauté d'une île à l'autre. Dans celles des Antilles. Dans celles des autres Caraïbes. Dans celles des Mascareignes. À chaque escale, j'administrais un zéro joyeux.

Elle a volé jusqu'au Pacifique.

– Non plus.

À Hawaii.

– Non plus.

À Tahiti, aux îles Marquises. Elle connaissait chaque grain du chapelet interminable des îles de la Sonde.

– Non plus.

– Alors, je donne ma langue au chat.

Et le museau de félin de s'en saisir et s'en rassasier sans vergogne. Je ne savais pas qu'autant de flammes, de danses primitives, bonnes et bienfaitrices, sommeillaient en moi. J'ai finalement levé le voile.

– Congo.

– Ah ! je sais : Lomé !

Elle accompagna ce cri d'un geste d'enfant gagnante. Indulgent, j'ai rectifié.

– L'Afrique en tout cas ?

– L'Afrique noire.

– Pourtant...

Elle a de nouveau examiné ma peau comme d'un pagne dont elle aurait voulu vérifier la matière. Nous avons souri, tous deux, comme des enfants qui jouent aux grands et se réjouissent de leur univers. J'ai dit quelque chose pour affirmer que j'étais vraiment nègre. Elle s'est moquée et a posé son bras sur mon ventre pour comparer les deux couleurs.

– Quand je m'expose au soleil, je suis plus noire que toi... Si tu m'avais vue lorsque nous s..., lorsque je suis revenue de vacances !...

J'ai imaginé les cheveux de soie et de nuit de la dame au péplos sur sa peau ambrée par le soleil des plages.

– Et puis, quelle importance ?...

– N'est-ce pas ?

– L'Afrique des lions, a-t-elle repris, en lançant un clin d'œil provocateur.

– L'Afrique des tam-tams !

Le chat vainqueur a redemandé sa langue. Elle a fait la délicate, puis, brusquement, a renversé les cieux.

Ce n'était plus le pas de la valse, ni du tango, ni le lent piétinement tangué du blues. Nul n'aura vu le ballet épuré où se fondaient, sans secousses, les enchaînements des danses des neiges, le mystère profond des rythmes hindous et le feu irrésistible des ngwakas, quand battent les tam-tams saisis d'épilepsie.

Finalement, les policiers m'ont relâché.

Épuisé, je suis rentré à l'hôtel pour me jeter au lit.

À mon réveil, j'ai dû allumer la lampe de chevet. Ma montre s'était arrêtée. J'avais oublié de la remonter. Je ne savais plus où j'en étais et j'ai eu l'impression que le temps s'était déréglé. J'ai pensé au visage glabre et jaunâtre du gardien du stade Malakoff.

Dans mon sommeil de plein jour, j'ai fait un rêve qui n'en finissait pas et dont je ne parviens à reconstituer que des lambeaux sans lien les uns avec les autres. Des paysages d'Afrique se mêlaient à ceux de France, et je parlais un charabia composé de phrases gangoulous, roupéennes, lingalas et latines.

En pénétrant dans la salle d'eau, à mon retour du commissariat, j'ai retrouvé mon scapulaire de cauris. Il était rangé au milieu de mes objets de toilette, sur la plaque au-dessous du miroir. Cela venant à la suite de cette nuit étrange, de ces rêves et de ces cauchemars, j'avais envie de me frotter les yeux. Pourtant il s'agissait bien de réalité. J'ai poussé un profond soupir et me suis senti brusquement léger.

Dans la rue, les réverbères se sont allumés et les passants semblent tous se hâter vers un rendez-vous. Ils marchent au rythme de la musique qui parcourait Nantes lors de mon premier séjour.

Je relace les cauris autour de mon cou. Il ne faudra pas oublier de donner un bon pourboire à la femme de chambre.

J'ai senti la caresse de ses lèvres sur ma joue et me suis longuement étiré. Profond fut le sommeil, doux le réveil. Malgré l'heure, la nuit s'attardait. Un rayon de lumière, qui venait par la porte entrouverte de la salle de bains, éclairait la pénombre de la chambre. Elle était accroupie, et son visage, sérieux, avait je ne sais quoi de bouleversant. Sa peau fleurait l'odeur de nourrisson, et son haleine exhalait la fraîcheur de la chlorophylle. Quand elle me sentit remuer, sous l'effet de ces douceurs, la femme au péplos, un imperceptible sourire aux lèvres, se redressa, comme si, taquine, elle ne voulait plus que je la touche. Soudain elle se colla contre moi pour que j'entende, dans le silence, un message de son ventre. Quand, satisfaite de notre échange, elle se redressa à nouveau, son visage était calme et reposé. D'un mouvement de lèvres, j'implorai la dame masquée de la nuit blonde. Souriante, les yeux pleins de malice, elle fit non de la tête et ses cheveux se secouèrent. Mais, aussitôt après, elle posa ses lèvres sur les miennes et sourit à nouveau pour demander pouce un instant.

Je ne l'avais pas entendue se lever. Le buste encore nu, elle était vêtue d'une étroite culotte ajourée. Le linge soulignait la perfection de son corps et réveillait mon désir comme si je venais seulement de la découvrir. Je contemplais son ventre de vierge, son dos plat aux muscles longs et fins. Elle introduisait ses seins aux formes de mangue dans les demi-sphères du soutien-gorge, et je regrettai de n'avoir pas durant la nuit pris le temps de les admirer, de les manger, de profiter de nos délires pour m'en gaver. D'un geste paresseux, je l'invitai à venir s'asseoir sur le bord du lit.

Elle secoua encore la tête. Non, disaient ses yeux, non, monsieur, je n'ai pas confiance en vous.

Comme elle était proche, je me mis à effleurer le galbe de son mollet. Elle ferma les yeux et eut un mouvement de chatte frileuse.

– Tu es fou, chuchota-t-elle, tu es fou. Je vais rater mon train.

Le rythme de son souffle changea. Oubliant les aiguilles de nos montres, nous reprîmes la mer. Insensé et égoïste, je l'entraînai à nouveau dans le puits ensemencé d'étoiles, libérant ses parfums et les rivières de ses membres pour vaporiser ma peau. J'oublierai le cantique que, dans l'ivresse, elle me chanta, quand nos mains, comme celles de malheureux égarés en quelques souterrains mystérieux, tâtonnaient dans le vide. Pris de folie, nous nous arrachions les cheveux. Mais pourquoi chercher à mettre en rimes ce qui est déjà rythme et mélodie ? Dans les siècles d'hier et de demain, nulle langue de l'univers n'a de vers plus mélodieux que l'entrelacs des soupirs en duo, juste un dièse au-dessus du silence.

Dehors, la pluie avait laissé des pans de miroirs brisés sur la chaussée. Le sol ressemblait à ces marbres noirs qui paraissent toujours bien astiqués. Mais le ciel était nettoyé. On y voyait rutiler, soigneusement lustrées, les dernières étoiles. Une lueur pâle montait à l'horizon. L'étrangère de ma fête tenait à sortir seule de l'hôtel. Elle n'a pas voulu que je bouge. Ne rien déranger surtout. Tout faire avec calme et délicatesse.

Quelle grande dame vous étiez alors dans ce tailleur anthracite où je vous vois me faire un dernier signe !

Vos talons soulignaient votre cambrure, le galbe de vos jambes et votre port de tête.

Il fallait partir parce que son époux... Un drapier de... Dire ici la ville serait dévoiler notre secret et compromettre ma fée des sens. Les amours perdent leur parfum dès qu'un des complices divulgue par faiblesse l'heure ou le lieu du prodige. Il faut toujours brouiller les pistes de l'île aux soupirs.

Par la fenêtre, je l'ai vue s'en aller, d'un pas de souris, courant presque, en demeurant dans les zones de pénombre. Elle avait au bras un sac fourre-tout, dans lequel elle avait, avant de partir, plié son péplos. Elle s'est retournée deux ou trois fois pour vérifier que personne dans l'ombre ne la filait. À travers la vitre de la chambre de cet hôtel minable, je lui faisais signe de quelques doigts, mais elle ne regardait pas dans ma direction.

Quand ensuite je me suis présenté à la réception de l'hôtel, tout était réglé.

Il m'arrive souvent de penser, madame, à cet air de pipeau qui s'insinuait entre nos corps et flottait dans la pièce...

Si, lisant ces lignes, vous l'entendez aussi, faites-moi signe, même pour une courte nuit, en un bois secret. Une autre nuit, fût-elle aussi insaisissable...

Peu après le départ de la dame au péplos, je suis sorti de l'hôtel.

Je me sentais en appétit et me suis mis à siffloter une chanson gangoulou.

Peu de clients dans la salle du buffet de la gare à cette heure-là. Un homme d'affaires qui consultait ses dossiers, un militaire derrière son journal largement déployé et, dans un coin, sur la droite, un couple aux cheveux ébouriffés. Des confettis aux couleurs pâles étaient restés accrochés à leurs tignasses. Frileux, ils avaient gardé leurs imperméables. Leurs yeux humides et rouges trahissaient le manque de sommeil.

J'avais commandé un petit déjeuner copieux. En salant et poivrant le jaune de mes œufs, j'ai eu envie de les gober tout entiers. Mais, en même temps, je ne voulais pas crever la membrane de ces deux magnifiques soleils. Je n'en aurais fait qu'une seule bouchée. Et le pain plongé dans cette sauce gluante, mêlée au bacon grillé, était bon sous la dent. J'ai coupé mon café d'un lait mousseux. Le mélange dans la tasse avait bien la couleur de ma peau. Avec un peu plus de lait, ce serait celle de Joseph ou d'un Peulh. Avec un peu moins, celle de Kani.

Je mastiquais chaque bouchée lentement pour savourer plus longtemps le goût et les odeurs de l'assiette.

Les tasses d'expresso des deux amoureux, dans le coin à droite, étaient depuis longtemps vides, et la soucoupe de celle de l'homme remplie de mégots froids. En passant devant leur table, le garçon de café leur a coulé un regard où la colère se mêlait au mépris. Eux, indifférents, se sont pris les mains. L'homme a caressé le bras de la jeune fille. Ils se sont soudé les lèvres avec un tel élan de tendresse que c'en était indécent. Je voyais l'entrelacs des jambes et des pieds sous la table, sentais le courant qui passait de l'un à l'autre, et un frisson me parcourait le corps.

J'ai commandé une autre tasse de crème et des tartines beurrées, puis un jus d'orange pressée. Quand, après la dernière gorgée, j'ai allumé ma première cigarette de la journée, j'ai reconnu l'odeur des herbes brûlées par un matin ensoleillé.

Malgré la douche, les effluves de musc et de chèvrefeuille dont la peau de la femme au péplos m'avait enduit remontaient, légers, de mon corps et me faisaient discrètement fermer les yeux. J'aurais dû, sinon lui demander son nom, du moins lui donner le mien, mon adresse, laisser une trace discrète...

Après avoir traîné devant la devanture de la pharmacie, j'hésite à y pénétrer. On ne m'ôtera pas de l'idée que les gens de l'officine me regardent avec un air suspect.

Finalement, ma ressemblance avec le Commandant n'est pas aussi saisissante que le prétendent Ngalaha et Ngantsiala. Sinon, Fleur n'aurait pas poussé le jeu si loin.

La pharmacienne me conduit devant la vitrine et m'indique les qualités et avantages de chaque modèle. Mon indécision l'agace, mais la dame se maîtrise. Elle essaie de savoir ce que je suis prêt à dépenser.

Mes réponses sont vagues et confuses.

Pédagogue, elle m'explique la garantie qu'offrent les verres filtrants pour la santé des yeux. Mais je n'aime pas les branches du modèle qu'elle me propose. Une marque dont on voit les réclames sur tous les murs et durant les entractes au cinéma. J'interromps la pharmacienne et lui désigne une paire de grosses lunettes noires, style Ray Charles.

Mes yeux ainsi masqués, le miroir me renvoie un visage qui a changé mon âme.

Peut-être aurais-je dû moins me presser et prendre le temps de me laisser également pousser la barbe.

Comme des vestiges d'une partie de poker abandonnée, les cartes postales, achetées le lendemain de mon arrivée, s'étalaient toujours sur le bureau de Vouragan. La cathédrale Saint-Pierre-Saint-Paul, les tours du château de la duchesse Anne, le bassin de la place Royale, un visage de Bretonne en coiffe bigouden...

Je n'avais pas réussi à écrire. Même pas à Kani. À chaque tentative, je mesurais en moi un vide dont j'avais honte. Tentant à plusieurs reprises de forcer l'inspiration, j'avais aligné cliché sur cliché.

J'avais pris une douche à l'hôtel, puis une autre de retour chez Vouragan. Pourtant les effluves de musc et de chèvrefeuille remontaient du col et des manches de ma chemise. Le parfum intime de la femme au péplos revenait, lancinant, par bouffées, comme ces senteurs envoûtantes dégagées par les arbres, les feuilles et les sous-bois et que des vents apportent de la forêt voisine, les soirs de fin de saison sèche. Je m'étais pourtant bien frotté avec un lignouka* que j'avais trouvé dans la douche de Vouragan. Même ma cigarette rappelait à mes lèvres le souvenir de son goût de savon aigre-doux que

* Nom lingala d'une cucurbitacée qui sert d'éponge et que nous appelons nsé en kigangoulou.

j'avais lapé avec gourmandise à la confluence du ventre et des cuisses.

Déjà le visage aux cheveux de soie, son corps fin enroulé dans ce long pagne blanc se nimbaient et, de plus en plus flous, se dissolvaient dans une brume mystérieuse où je n'arrivais plus à les recomposer.

Je tentais de réagir contre cet envoûtement.

Lire ? Au bout de quelques pages, je me rendais compte qu'il fallait reprendre l'ouvrage à son début. Trois fois de suite, le même scénario. Vous savez bien que le goût des mangues succulentes s'attache longtemps à la peau. Vous avez beau vous laver à grande eau et vous astiquer, quand la couleur du jus s'efface, le sucre poisseux continue à vous coller aux doigts. Et quand on se croit nettoyé des traces de la gourmandise, les fibres du fruit, coincées entre les dents, taquinent encore les gencives. Jusqu'au lendemain, l'odeur de térébenthine vous poursuit, comme si elle continuait à se cacher dans les rets de vos narines. On a beau faire, une musique inexplicable nous ramène toujours sur les lieux de nos péchés magiques.

Je jetais un coup d'œil sur la bibliothèque de Vouragan. Quelques volumes tristes, rangés à la verticale sur sa cheminée : des ouvrages de la collection Dalloz, un Lénine et quelques romans policiers aux couvertures jaune et noir. Je les ai feuilletés, puis me suis décidé en faveur du James Hadley Chase que j'avais quelquefois aperçu entre les mains de mes élèves de Première et Terminale : *Douze Balles dans la peau*. Le résultat n'était pas meilleur. J'étais décidément incapable du moindre effort d'attention.

Il valait mieux m'en remettre au pouvoir de la musique. Elle seule savait me traiter et pouvait me purifier.

J'ai remis deux fois *Saint-James Infirmery*, puis un autre morceau dont je ne connais pas le titre, mais où Jack Teegarden chante de sa voix rauque, mais juste, une complainte pour retrouver soit sa mère, soit une passion enfuie.

C'est alors qu'un importun a frappé à la porte. J'ai voulu faire le mort. Ce visiteur avait pour moi les traits du barbare dont les coups répétés venaient gâcher la fête. Mais comment mentir ? Mon casse-pieds avait dû entendre la musique à travers la cloison.

– Olouomo, garde-moi chez toi.

– Quoi ? Tu ne veux pas aller au Quartier Chic ?

– Non.

– Pourquoi ?

Olouomo me considère avec curiosité.

– Mes copains...

– Ces voyous de Mbochis et de Badjombos !...

Elle lève les yeux au ciel et tape plusieurs fois dans ses mains.

– Regardez-moi l'enfant-là ! Tu veux rester pour toi au village à traîner pieds nus ? Comme si tu n'avais pas attrapé assez de chiques, déjà ! Tu ne sais pas que ta mère va aller vivre dans la case à robinet et électricité ?

La veille Ngalaha m'avait annoncé que nous allions quitter Poto-poto. Elle allait devenir madame. La femme d'un fonctionnaire. D'un plus qu'évolué. Parce que le mulâtre-là, s'il voulait pour lui, pourrait vivre au Plateau, à la Plaine ou à Mpila, parmi les Blancs. Pourrait, même, même, même ! L'a la carte. Seulement, trop fier, l'homme-là !

Au lieu de m'en réjouir, j'avais trépigné et crié, comme les malheureuses à qui on annonce que l'âme d'un proche vient d'être dévorée.

– Je ne veux plus changer de père. C'est trop, j'en ai assez !

Ma mère m'avait parlé calmement. On eût dit même que ma douleur l'amusait et qu'elle me pardonnait ma crise. Moi, je m'excitais et prenais feu d'une réplique à l'autre. Cette fois, tant pis si les locataires de la parcelle m'entendaient. Enragé, j'étalais le linge intime. Que ceux qui l'ignoraient l'apprissent : j'étais le fils du Blanc ! Le fils du Commandant. Pas de n'importe qui. Du Commandant, je vous dis ! Du chef des colons !... Pas ma faute. Sa faute à elle. Elle, la Ngalaha-là. Si, au lieu de vouloir hisser sa tête plus haut que celle de ses parents, elle s'était contentée d'épouser un Noir, selon la tradition, je serais même peau, mêmes cheveux que les gens normaux.

Et c'est pas tout ! Après le Blanc, il y avait eu l'Oncle Ngantsiala !

À ce point, j'ai reçu la plus mémorable des gifles de mon enfance.

Ngalaha n'avait jamais été la femme de Ngantsiala. Est-ce qu'on épouse son frère, dans la race gangoulou ? Évoquer l'inceste, même en pensée, c'est appeler la malédiction sur soi.

– Oui, mais je suis son fils, non ?

Ngalaha haussa les épaules et me jeta un regard de pitié : comme si je ne savais pas les règles de la famille. L'enfant-là veut se faire plus noir qu'il n'est et en même temps décrit la famille à la manière roupéenne.

J'ai alors cité Ebalé le pêcheur et encore l'autre-là, qu'elle passait aujourd'hui sous silence, mais que j'avais dû supporter juste après notre arrivée à Brazza. L'homme venait lui rendre visite presque chaque nuit et l'on me demandait d'aller dormir dans la case d'Olouomo. J'en pleurais de rage. Seule celle-ci comprenait mon chagrin et me prenait dans ses bras pour me consoler. Je lui dévoilais ma jalousie et lançais des mots de silex contre ma mère. Olouomo me mettait l'index sur la lèvre et me disait de ne pas juger mes parents ; que je ne savais pas dans quels sentiers, un jour, mon cœur m'entraînerait ; que cet homme-là était bon. Il avait allégé les premiers jours de notre vie dans cette ville que nous ne connaissions pas.

– Et quand mes camarades sauront cela ?

– Leurs parents ne sont pas meilleurs que les tiens.

Celle-là, fallait toujours qu'elle ait réponse à tout. La sagesse, la sagesse, la sagesse ! D'ailleurs, est-ce qu'elle était sage elle-même ? Avec ses makangous* qui se relayaient suivant les jours de la semaine... Ce n'était pas à elle de défendre l'honneur chaque fois que l'on me traitait de fils de ndoumba**. Je m'étais déjà battu dans le quartier parce qu'un gamin avait traité Ngalaha de bordelle. Voulaient-ils encore que j'assénasse mon coup de tête façon bélier-lari ?

Toujours aussi calme, ma mère m'avait expliqué que, cette fois, nous déménagions pour de bon. L'homme voulait l'épouser et non en faire seulement sa ménagère. L'Oncle avait négocié la dot. Elle, de son côté, avait exigé qu'il m'adoptât, moi, Okana Andélé, comme son fils. Elle avait ajouté que l'homme avait la peau brune comme moi. Donc...

– D'ailleurs, tu le connais.

Après deux questions et autant de réponses, sans difficulté, je devinai : Joseph Veloso.

Ma mère baissa la tête.

Depuis quelques mois, il ne se passait pas de journée sans que ce mulâtre vienne dans la parcelle. Souvent il m'apportait des mikatés*** et des illustrés qu'il achetait au Plateau, dans le quartier des Baroupéens. Il passait de longs moments à parler avec moi, comme si j'étais plus intéressant que les gens de son âge. Il savait

* Amants, en lingala.

** Femme libre, en lingala. Manière de courtisane, qui vit de ses amants, qu'elle choisit librement.

*** Beignets, en lingala.

autant de choses que les Blancs qui nous enseignaient à l'école et clamait que ces messieurs ne lui faisaient pas peur. Surtout ceux d'ici. Les petits Blancs. Les hommes aux culottes courtes, comme il les appelait. Il avait dressé son chien en conséquence. Un bâtard de berger allemand qui laissait passer les Noirs et les mulâtres, mais aboyait sur les Baroupéens en short. Joseph prétendait que les Blancs de métropole étaient différents de ceux des colonies. Mais, même de ceux-là, ajoutait-il, fallait se méfier. Certains étaient bons. Mais, quand on les saluait, fallait aussitôt vérifier qu'on avait conservé ses cinq doigts bien en place.

Ngalaha assurait que ces aspects fantasques de Joseph ne dénotaient pas, comme le prétendaient les gendarmes, un esprit communiste. C'était simplement le résultat de son séjour prolongé en métropole. Là-bas, il avait vu les Baroupéens sans leur masque. Tous, par exemple, n'étaient pas chefs, comme ici. Nombreux parmi eux travaillaient de leurs mains, portaient des charges, comme les nègres. La seule différence, c'était que personne ne leur bottait les fesses, ne les tutoyait, ne les traitait de macaques à la moindre étourderie. Depuis que Joseph avait vu des manœuvres roupéens, il n'avait plus peur de tenir tête aux colons. Ces gens-là, clamait-il à qui voulait bien l'entendre, nous trompaient trop. Un de ces jours, il faudrait leur frotter le derrière par terre. Ngalaha lui intimait aussitôt l'ordre de se taire s'il ne voulait pas se faire dénoncer.

J'avais au demeurant conscience d'avoir confié à Ngalaha que j'aimerais avoir un père comme Joseph. Elle aurait pu, le jour de cette scène, en tirer argument, mais quand on met en échec son enfant, ce n'est pas pour marquer les points. C'est seulement pour l'arrêter, l'obliger à lire dans vos yeux et réfléchir.

Malgré cela j'ai continué à résister. J'ai imploré Olouomo de me garder avec elle. Pourquoi ma mère ne viendrait-elle pas, elle, me voir ici chaque semaine, plutôt que de me faire déménager ? À la rigueur encore, si elle le désirait, ce serait moi qui irais régulièrement lui rendre visite, chez son amant, dans leur case du quartier Bacongo moderne. Olouomo m'a interrompu pour me dire que Joseph n'était pas un makangou, un amant, mais un époux ce qu'on appelle époux, vu qu'il avait donné le cabri, les dames-jeannes de vin, les bouteilles de whisky et de Primus*, les pagnes en wax, les machettes, et tout et tout. L'homme-là avait doté Ngalaha en observant la parole de la coutume. Est-ce que Dieu pouvait mieux arranger le destin ? La seule ombre à ces perspectives était que Joseph ne voulait pas payer la fête *Chez Macédo* ou *Chez Faignond*, avec l'orchestre d'Essous, comme l'exigeait son rang de fonctionnaire. Rien à faire, il ne voulait rien entendre. Ngalaha le regrettait, mais mettait cela au nombre des excentricités de son homme, lesquelles constituaient le piment de son caractère.

Moi, je ne me retrouvais pas dans toutes ces considérations. Mes soucis demeuraient. Non, je ne voulais plus changer de nom. Chaque nouvelle identité m'avait traumatisé. Les camarades ne me prenaient plus au sérieux. C'était comme si l'on me demandait, chaque fois, d'avoir honte de ma nature. D'abord André Leclerc. Puis Okana. Maintenant Okana André. Demain Veloso ? Pour qu'on me traite de *moundélé madessou* ? Car, hormis les Bagangoulous pour qui j'étais sans ambiguïté le fils-fils, ce qu'on appelle le fils, les autres me traitaient tantôt de café au lait, tantôt de Mouroupéen, tantôt de Blanc-manioc, les plus grossiers de mal blanchi. Quand tout allait bien, j'étais le frère, mais quand la palabre tournait au vinaigre, alors on m'insultait comme ces fous auxquels les enfants lançaient des

* Bière congolaise.

pierres. Comme si j'étais un albinos, un étranger de mauvais sang, un chacal, un cancrelat ou une méduse ?... Savez-vous donc, ô vous, tout d'une roche, la torture de la vie entre les eaux ?

– Ouais, ouais, ouais !

Sûrement la mère Chantreau !

– Suis pas sourd, bon dieu !

J'ai diminué le volume du tourne-disque.

– Ouais ! Pas la peine de cogner comme ça, allez casser la porte !

Peut-être Vouragan... Dieu de dieu ! C'était...

– Tiens, vous êtes toujours là, vous ?

Si j'avais pu, un seul instant, me douter !... Il y avait de l'humeur dans la voix de Fleur. Elle se tenait devant moi, un sourire ironique aux lèvres, un paquet de disques à la main. Ce n'était évidemment pas à moi qu'elle rendait visite.

– Entrez...

J'ai esquissé un mouvement de révérence démodée.

De passage dans le quartier, elle avait fait un crochet pour rapporter des microsillons empruntés à Vouragan.

– ... entrez, prenez place. Il va peut-être revenir bientôt.

– Oh ! vous savez, ce n'est pas nécessaire que je le voie. Dites-lui seulement que je suis passée.

Mais la fille avait déjà ôté son duffle-coat qu'elle me tendait du bout des doigts, tournant la tête dans la direction opposée. La queue de cheval répondait, dans les jeux des harmonies, aux cambrures des lignes de sa silhouette. Elle avait, ce matin-là, enfilé un jean et un pull à col roulé qui soulignaient la minceur d'un corps sur lequel étaient plantés deux seins qu'on se serait attendu, en raison des proportions, à voir moins gros.

Il n'y avait plus de patère de libre, et j'ai accroché le duffle-coat de Fleur au-dessus de ma gabardine.

Elle a jeté un coup d'œil sur mes cartes postales, en a pris une du bout des doigts puis, du geste d'un joueur de belote qui se débarrasse d'une mauvaise carte, l'a rejetée avec une moue de dédain avant d'aller s'asseoir sur le lit, les jambes croisées dans une attitude masculine. Son jean moulait ses cuisses et ses mollets comme un collant. J'avançai, en la lui proposant, la chaise sur laquelle j'étais assis avant son arrivée. L'autre était encombrée d'un pantalon et d'un slip que j'escamotai prestement.

– Ne vous donnez pas tant de mal. Je suis très bien ici.

Elle changea de position pour s'asseoir en tailleur. Elle avait dû tremper son jean dans de l'eau de Javel pour obtenir ce ton délavé.

– Vous boirez bien quelque chose ?

– Merci, pas à cette heure-ci.

Au fond, j'étais soulagé, car je ne savais pas ce que Vouragan pouvait avoir à offrir.

– À moins que vous n'ayez du café.

– Juste le temps d'en faire réchauffer.

Je lui ai tendu le paquet de cigarettes en lui faisant observer que c'était du tabac noir.

– Je ne fume rien d'autre.

Plus prompte que moi, elle a sorti de son sac une énorme boîte d'allumettes de cuisine et m'a offert du feu. On eût dit qu'elle ne regardait pas le bout de ma cigarette, mais qu'elle profitait de la proximité de nos visages pour observer le mien. Elle a encore regardé dans la direction des cartes postales et a voulu savoir si Nantes me plaisait. Ma réponse fut conventionnelle et vague.

– Même à l'époque de la mi-carême ?

– Vous savez, quand on ne connaît personne...

– Pourtant, hier soir, vous ne vous êtes pas trop ennuyé, j'espère.

Elle a cherché un mot avant d'ajouter, banalement, « j'espère », à la fin de sa phrase. Maintenant c'était elle qui évitait mon regard. Le sien scrutait le lit comme à la recherche d'un indice.

– Non. J'étais avec mes livres et de la musique. C'est assez pour que le monde autour de moi s'écroule sans que je bronche.

– Je vois, elle eut un sourire persifleur, je vois. Intellectuel.

– Un esthète décadent. Jouisseur des choses de l'esprit, mais incapable de créer. Ou simplement un brave pépère. Pot-au-feu avant l'âge.

La musique s'était arrêtée, et j'allais choisir un autre disque. Elle a tiré sur sa cigarette et a disparu derrière un nuage de fumée au travers duquel j'ai cru distinguer une expression malicieuse.

– Qui était-ce ? a-t-elle demandé.

– Qui était-ce ?

Son doigt indiquait le tourne-disque.

– Ah ! la musique ?... Hines... Earl Hines.

– Tiens, connais pas.

– Moi non plus. Je découvre.

– Vous permettez ?

Avant que je puisse répondre, elle avait disposé contre le mur les petits coussins en forme de berlingot qui ornaient le lit et s'y était adossée. Son pull-over avait la couleur de ses yeux.

– Excusez-moi, mais j'ai très peu dormi.

– Ah ! les nuits de la mi-carême !...

Le jean faisait vraiment l'effet d'un collant. J'ai imaginé sa jambe nue. Longue et légèrement galbée.

– Ma nuit, vous savez, je l'ai passée sans histoires. Au lit, comme une jeune fille de bonne famille de province.

– Une nuit au lit n'est pas forcément ennuyeuse et pas toujours reposante.

– Vous en savez effectivement quelque chose, vous.

Elle avait dit cela d'un ton sévère, presque de reproche, et a ajouté tout aussitôt que mon café...

Je me suis précipité pour éteindre le réchaud.

– Café bouillu, café foutu !

– Non, patronne. Bon boy a sauvé café !

– Dans ces conditions, je n'en boirai pas.

– Vous l'auriez préféré bouilli ? C'est facile...

– Non. Mais je n'aime pas les plaisanteries sur les boys.

– Sur ça ou autre chose...

– Il faut laisser cet esprit subtil aux petits Blancs des colonies.

J'allais lui rétorquer que je n'avais pas de leçon à recevoir d'elle sur ce chapitre. Mais je prends de moins en moins feu pour de telles vétilles.

– Combien de morceaux ?

– Je ne prends jamais de sucre.

– Vous n'avez pourtant pas de souci de ligne.

J'ai soutenu son regard sans ciller, mais elle ne semblait pas avoir entendu le compliment.

– Ça dénature le goût.

– Moi, je sucre tout.

– C'est un tort. D'ailleurs, je trouve le plaisir du salé bien plus fort. Le sel fait saisir l'essentiel des substances et des êtres.

– Vous savez, mademoiselle, que vous tenez là un discours nègre ?

– Vous ne pouviez pas me faire plus plaisir.

J'ai tourné lentement ma cuiller dans ma tasse et j'ai avalé une gorgée. J'ai eu envie de lui faire remarquer que, pour nous rendre notre justice, il n'était pas nécessaire de se faire nègre ; que, pour ma part, je ne prenais pas très au sérieux les Baroupéens qui s'y amusaient. Mais je n'étais pas sûr de l'avoir bien comprise. Je ne voulais surtout pas la blesser. Décidément ce pull-over, ce jean accentuaient la grâce de Fleur du sommet de sa chevelure à la pointe des orteils. Elle avait dû effectivement pratiquer la danse classique. Son air boudeur et insolent sous un minois de gamine me rappelait mon élève de Troisième la plus dissipée.

– Pour le Bantou...

– Pour le Ntou, rectifia-t-elle.

– Bravo ! Je vois que vous avez un professeur à la page !

Elle n'a pas relevé et s'est contentée de sourire avec un mélange de hauteur et de malice.

– Pour le Ntou donc, ou pour les Bantous, ce n'est pas le sucré qui est délicieux, mais le salé. Par exemple une mangue à la croque au sel...

– Terrible !

Elle avala une gorgée, posa sa tasse et tira sur sa cigarette avec un mouvement de succion. Je toussai, car sa fumée avait heurté mon visage de plein fouet.

– Terrible ! Je me demande pourquoi personne n'a encore fait une psychanalyse du salé.

Quand elle rejetait la fumée, elle laissait pendre une lèvre lourde comme pour mieux prolonger le plaisir.

– Une psychanalyse du salé ?

– Oui, c'est très recherché chez les phénoménologues...

Elle a imité la prononciation et les gestes d'une précieuse qui s'écoute parler.

– ... En déterminer le coefficient ou la teneur métaphysique...

Des souvenirs de philo me sont alors revenus en mémoire et j'ai plaisanté.

– Vous devriez le suggérer à Sartre.

– Plutôt à Bachelard. Il y mettrait de la poésie, lui.

– Pas Sartre ?

Vouragan n'arrivait toujours pas. Elle a fait des compliments sur le café et a voulu en savoir la qualité.

– Attendez.

J'ai pris le paquet dans le placard et lui ai lu le nom d'une marque dont on voit souvent la publicité, au moment de l'entracte, au cinéma.

– C'est votre manière de faire, alors.

Et elle a tendu sa tasse pour que je lui en verse à nouveau. Quand elle buvait, tout se passait dans les lèvres. Une lente dégustation, les paupières à moitié closes. Je n'avais pas encore remplacé le trente-trois tours de Earl Hines et je lui ai demandé ce qu'elle souhaitait entendre. Elle a semblé embarrassée, et je me suis mis à lui proposer divers titres de morceaux, plusieurs noms de musiciens. Indécise, elle levait après chacun d'eux un sourcil hésitant.

– Vous voulez vraiment écouter de la musique ?

Je ne comprenais pas le sens de sa question.

– Vous savez (elle a fini sa tasse de café, puis s'est léché discrètement et délicatement les lèvres), vous savez, moi j'adore la musique en tant que telle. Jazz, classique, biguines, musique congolaise...

– Vous voulez de la musique congolaise ?

– C'est à choisir, alors.

Je ne comprenais toujours pas.

– J'adore la musique...

Elle tira sur sa cigarette et le léger nuage qui sortit de sa bouche se dirigea vers moi, continuant sa danse au-dessus de ma tête.

– ... j'adore la musique et, quand j'en écoute, je m'immerge totalement dans son univers. Je ne peux lire ou discuter en même temps. La musique est le parfum du silence. Je pourrais écrabouiller quelqu'un qui tousserait à ce moment-là.

J'ai voulu faire une plaisanterie trop facile sur la musique et les mœurs, mais me suis retenu. Il fallait me présenter sous mon profil le plus avantageux. Je la détaillais sournoisement. Quelle finesse dans les membres et dans les attaches : une Peulhe des contrées celtes !

– Moi, j'aime bien travailler sur un fond de musique.

– Excusez-moi, mais c'est comme de lire un livre pendant la projection d'un film. La musique ne se partage avec aucune autre activité. Il faut choisir, sauf peut-être, sauf...

– Sauf ?

– Non, rien.

Elle a souri, tiré une nouvelle bouffée sur sa cigarette et s'est recomposé un visage sévère. Je me suis attardé sur ses yeux de malachite. Elle a soutenu mon regard, et je me suis jugé indélicat. Pour me donner une contenance, je me suis mis à chercher la cafetière. J'avais le sentiment que la gamine prenait plaisir à la conversation. Le moindre geste, le moindre regard qui aurait libéré l'odeur du mâle eût gâché le plaisir de ces instants. Le temps a glissé sans que nous nous en rendions compte. Et Vouragan n'arrivait toujours pas. Il eût été bien surprenant que Mme de Vannessieux le lâchât aujourd'hui. En tout état de cause, s'il devait quitter l'hôtel, quel qu'en fût le prétexte, sa marraine l'accompagnerait.

Fleur possédait des notions sur tout, et je prenais plaisir à l'entretien. Elle avait, sur chaque sujet, un commentaire à formuler. Non pour me contredire, mais pour me relancer. Le professeur, si fier de pratiquer la maïeutique et d'en savourer les vertus, veillait cependant à ne pas sombrer dans le cabotinage vulgaire. Mais vous connaissez l'esprit gangoulou !... C'était comme de demander à André d'oublier les accents de sa langue ou de parler les mains attachées. Nous voguions du jazz à l'Afrique, de la littérature à la politique, de la lecture à la création, avec toujours en arrière-fond le mystère de l'histoire des Noirs. Habituellement, lorsque j'aborde ces questions avec les Baroupéens, quel que soit le thème – coutumes, religion ou peinture –, je suis toujours mordant. Je démonte les préjugés et je ressors tout le dossier de la violence et de l'oppression. Cette fois, je modérais mon ton. Sa connaissance de notre pays m'émerveillait. Elle a même, à plusieurs reprises, indiqué des détails et des précisions sur des données qui, je le confesse, étaient encore floues dans mon esprit. Je l'en ai complimentée et lui ai demandé si c'était de Vouragan qu'elle tenait tout ce savoir.

– Vouragan ?

Elle a persiflé, puis s'est reprise.

– Non, ce n'est pas Vouragan. Je le connais depuis si peu.

Son père avait vécu en Afrique. Leur maison était remplie de statues, de masques et de photos. Bien qu'il fût réticent à évoquer cette période, tous les souvenirs qui traînaient autour d'elle avaient éveillé l'intérêt de la fille pour la vie des Noirs. En outre, elle lisait beaucoup.

– Savez-vous que j'ai du mal à vous appeler par votre prénom ?

– Tiens. Et pourquoi donc ?

– Mon grand-père s'appelait André. Alors...

– Appelez-moi Okana. Je préfère.

Quand Fleur a regardé sa montre, il était midi passé. Il était temps de se sauver. Un rendez-vous avec sa mère. Elle s'est affairée avec des gestes théâtraux.

Je l'ai raccompagnée devant l'entrée de la maison. Mme Chantreau, qui avait entendu nos pas dans le couloir, a entrebâillé sa porte, a esquissé une grimace de mépris, puis bougonné quelque chose d'incompréhensible et s'est rebarricadée chez elle.

Lorsque sur le trottoir je lui ai tendu la main avant de nous séparer, Fleur l'a conservée un instant dans la sienne en la serrant, et j'ai répondu par une pression pour lui montrer que je n'étais pas un lâche et je me suis excusé.

– De quoi ?

– De vous avoir retenue aussi longtemps.

– Si j'avais voulu partir, je serais partie, monsieur. Personne ne m'impose jamais rien. Vous savez, j'aime en toutes choses conserver l'initiative.

Elle a eu un sourire bref mais appuyé et a aussitôt repris :

– Chose qu'on ne pardonne guère aux femmes. Bon (encore un sourire aimable et le reste de la phrase dans un murmure), il faut que je me sauve. Mais (ici elle reprit le ton de la conversation normale et mit de la conviction dans son propos), mais j'aimerais poursuivre cette discussion sur l'Afrique. Vous savez, vous êtes un problème dans l'histoire.

– Nous sommes un problème pour les Blancs, nous sommes un problème pour nous-mêmes.

J'ai failli ajouter que moi, j'étais un autre problème insoluble dans cet océan d'inconnus.

Elle m'a tendu, une nouvelle fois, la main. Cette fois, c'est moi qui l'ai serrée. Sans doute un peu plus fort qu'il n'est convenable. J'ai eu l'impression que sa main se sentait bien dans la mienne, mais elle s'est brusquement ravisée. Il s'en est fallu de peu que je m'excuse à nouveau.

– Bon, eh bien ! je lui dirai que vous êtes passée.

– À qui ?

– Eh bien, à Vouragan.

– Ah ! bof... Ouais, bien sûr... Quand repartez-vous ?

– Moi ?

– Oui. Qui, sinon vous ?

Je me suis d'un geste rapide caressé les cheveux.

– Peut-être demain.

Je voulais m'en retourner le plus vite possible à Chartres, pour noyer dans le changement l'image trop obsédante de la nuit avec l'inconnue au péplos. Comme dit l'Oncle Ngantsiala, c'est parce qu'il sait se sauver à temps que le margouillat ne risque pas de se faire dévorer.

Je me proposais d'aller retenir ma place dès l'après-midi. Sinon, vous savez bien, la « cristallisation »... Car, depuis la nuit magique, j'observais avec des yeux de clinicien le détail et la vérité de ce que j'expliquais à mes adolescents de Seconde, pendant le cours sur Stendhal. À ce train, Kani découvrirait le cristal dans mes yeux et saurait en déchiffrer le sens dès notre première rencontre.

Quand Fleur m'avait demandé pourquoi je précipitais mon retour, j'avais bafouillé en haussant les épaules.

De quoi se mêlait-elle, cette gamine ? En fait, j'hésitais encore. Il y avait deux jours de carnaval. Le jeudi et le dimanche. Qui savait ? Peut-être qu'effectivement, le dimanche, la femme au péplos reviendrait sur les lieux.

Car il arrive que les génies aperçus à la rivière reparaissent une nouvelle fois, comme pour achever l'acte qu'un passant a troublé... C'est généralement à la même heure qu'ils retournent rôder...

Quant à savoir comment mes yeux se comporteraient face à ceux de Kani...

– La mi-carême n'est pas terminée. Il y a encore dimanche. On y refait les mêmes rencontres. Quelquefois plus délicieuses, encore...

Je ne sais quelle lueur d'ironie illuminait la citronnelle de ses yeux. Si elle n'était pas l'amie de Vouragan, j'aurais fermé le caquet de cette impertinente.

– Pour se rencontrer, il faut déjà se connaître.

– Le carnaval est une fête masquée. Vous l'oubliez, monsieur. Ni vu ni connu, pas de criminel.

Et au matin, bonjour, madame,
L'amour s'en va avec la pluie.

– Je vois que vous connaissez bien plus que vos classiques.

Elle termina à voix basse.

– Allez, au revoir. Et si vous changez d'avis...

Elle me proposa un rendez-vous pour le lendemain au *Pot-au-lait*. Sans attendre ma réponse, elle tendit son cou et me déposa un baiser rapide sur la joue avant de s'enfuir avec grâce. Je m'attardais à contempler son pas de ballerine. Un homme qui venait en sens inverse s'arrêta et la dévisagea avec impertinence. Le tramway se présentait déjà. Elle sauta sur la marche et disparut sans se retourner. Je vis retomber un coin du voilage de la fenêtre de Mme Chantreau qui donnait sur la rue.

Ce ne fut ni par coquetterie ni en raison de considérations tactiques, comme me l'aurait conseillé Vouragan, que j'arrivai en retard au *Pot-au-lait*. Je n'avais tout simplement pas vu filer les heures.

Après avoir paressé au lit avec le livre de Camara Laye que Kani m'avait offert, je m'étais mis au travail. Un projet secret auquel je consacre mes moments libres : la traduction en lingala de mes poèmes de chevet. Une anthologie selon ma conception. Un bouquet patiemment composé au gré du hasard, répondant aux seuls penchants d'un réseau mystérieux. Oubliant les leçons d'histoire littéraire et les manuels de prosodie, je choisis *Annabel Lee* ou *Le Pont Mirabeau*, comme on préfère une mangue ou un jus de corossol à un éclair au café ou à un verre de cognac. Rien à voir dans mes critères de sélection avec la méthode qui préside à la confection de ces herbiers où chaque espèce est classée, dans la rigueur d'une logique froide, soucieuse de ménager les équilibres chers aux thèses contradictoires des différentes coteries académiques. Si je dois vivre la fête de notre indépendance, ce recueil constituera mon cadeau au nouveau pays. Et si la lutte doit prendre le temps de celle du Viêt-nam ou de l'Algérie, ces vers y contribueront. J'ai déjà traduit quelques poèmes d'Aragon, de Nicolas Guillen et de Langston Hughes.

Je m'attaque maintenant aux écrivains de la négritude : Césaire, Senghor, Damas, Tirolien... Je rencontre avec les deux premiers plus de difficultés qu'avec les Grecs ou les Latins. Cet exercice me fournit l'occasion d'une plongée dans les profondeurs d'une langue dont les secrets nous échappent de plus en plus. Il y a des mots dont l'usage s'est perdu et qui me font défaut pour traduire avec précision le vocable français. Seuls de longs entretiens avec l'Oncle Ngantsiala et des vieux de sa génération me permettront de remplir des passages que j'ai laissés en pointillé. En d'autres endroits, j'ai tenté la création de mots nouveaux, suivant la théorie de Cheikh Anta Diop, à propos du vocabulaire scientifique des langues négro-africaines. Mais j'aurai besoin, avant une publication éventuelle, de soumettre certains passages à l'épreuve des praticiens et à l'avis des sages.

Quand j'arrivai, Fleur était déjà là.

À cette heure de la journée, *Le Pot-au-lait* était bourré de collégiens. À quelques tables de nous, un adolescent renversait la tête de son amie et la régalait d'un baiser qui n'en finissait pas. La fille en serrait son cartable entre ses mollets. La table voisine chronométrait. Des potaches boutonneux, la cigarette au bec, battaient en mesure l'un de la tête, l'autre de l'index, un troisième en appuyant vigoureusement sur une pédale de batterie d'orchestre imaginaire.

Absorbée dans la rédaction d'une lettre, Fleur ne m'entendit pas approcher. La plume de son stylo glissait sur un papier avion bleu. Le contact des deux matières réveilla mon envie d'écrire.

M'efforçant de donner à ma voix le son le plus avantageux, j'ai ironisé en faisant référence à notre conversation de la veille sur la musique et le silence.

Protégeant des deux mains ce qu'elle écrivait, elle m'a jeté un regard excédé.

– Ah ! c'est vous ? Pardon !

J'eus finalement droit à un sourire.

– Oh ! dit-elle en se justifiant, je terminais une lettre... Une lettre d'affaires... En fait, je la relisais seulement.

– Rassurez-vous, je ne cherche pas à copier votre devoir.

Elle haussa les épaules, m'invita à m'asseoir, précisant, dans un débit rapide, que c'était elle qui m'offrait la consommation.

– Pas à un nègre, mademoiselle.

– Assez, s'il vous plaît, ne le soyez pas plus que vous l'êtes.

Il s'en est suivi un dialogue conventionnel et oiseux où chacun de nous croyait faire preuve de l'esprit le plus fin.

À peine étais-je servi qu'elle s'excusa et se leva précipitamment en faisant hurler la chaise contre le sol. Cette agitation et ces brusqueries finissaient par m'agacer. Mais je me suis raisonné. Il fallait la comprendre. Depuis plusieurs jours, Vouragan l'avait grossièrement délaissée.

Elle s'est arrêtée au bar, a indiqué ma consommation à la serveuse, l'a réglée, s'est assise quelques instants sur un tabouret à pattes de girafe, a relu sa lettre, l'a cachetée, puis est sortie.

Je la vis, à travers la vitre, glisser son enveloppe dans la fente de la boîte aux lettres. Peut-être une correspondance de mise en garde, ou de rupture...

Elle avait laissé sur la table *Le Voyage au Congo*. Je me suis mis à le feuilleter pour tenter de retrouver le passage sur Maluku et le fils Mélèze.

– Vous connaissez ça ? me demanda-t-elle lorsqu'elle revint.

– Bien sûr.

Elle prit l'ouvrage et se mit à le feuilleter avec fébrilité.

– Et vous vous souvenez de ça ?

Une page où Gide juge les Blancs d'Afrique avec sévérité.

– C'est comme mon père, fit-elle remarquer. Un homme remarquable. J'aimerais que vous le connaissiez.

Fleur parlait quelquefois sans réfléchir. De quoi aurais-je pu m'entretenir avec un ancien colon ?

– C'est marrant, mais on dirait que vous vous ressemblez.

– Un nègre qui ressemble à un Blanc ?

– Mais, une fois encore, pourquoi, bon dieu ! vouloir vous faire plus noir que vous n'êtes ? Vous êtes... café au lait... En plus, avec vos yeux verts, personne n'est obligé de vous croire quand vous vous dites « nègre ».

Elle n'a pas vu l'éclair qui a traversé mes yeux. Quand elle a repris la conversation, ce fut pour revenir à son père.

– Vous avez sa manière d'aborder les questions. Et quand vous réfléchissez...

Vouragan avait eu raison de me dire que l'enfant-là était une folle.

– Si vous croyez me faire plaisir !... Métis c'est une création coloniale. Ce n'est pas une race. Il y a les Blancs, il y a les Noirs, il y a les Jaunes, il y eut les Rouges... C'est tout. Métis, ce n'est pas une couleur. Ça n'existe que dans la tête de certaines personnes. Dans celle des gens à cœur de banane. On est mammifère ou oiseau. Pas chauve-souris. Si nous étions aux États-Unis, je ne pourrais pas m'asseoir à cette table et discuter avec vous.

Comme pour me faire un clin d'œil, le juke-box se mit à jouer un morceau de jazz connu dont j'ignore l'interprète. J'ai poursuivi mon développement en parlant des Noirs américains.

– Mon père affirme qu'il n'est pas raciste, mais s'emporte dès qu'il entend parler d'indépendance des pays africains.

– Ou si sa fille lui annonçait qu'elle va épouser un Noir.

– Ça (elle sourit), je n'ai pas encore fait l'expérience.

J'ai sucé ma paille et j'ai remarqué que mon lait grenadine avait la même teinte que son rouge à ongles. Elle n'avait aucun maquillage sur le visage. Après le morceau de jazz, ce fut Mouloudji. J'aurais voulu écouter les paroles de la chanson. Les siennes échappent en général à la mièvrerie des succès des variétés.

– Ce tintamarre me rend folle. Pas vous ?

J'ai fait la moue. Elle avait, bien sûr, raison. Mais où aller pour demeurer ensemble ? L'inviter à nouveau chez moi – je veux dire chez Vouragan – eût été grossier.

– Bon, ça suffit, a-t-elle déclaré en se levant, allons ailleurs.

Étourdi, j'ai demandé l'addition à la serveuse.

Dans la rue, nous avons marché un moment sans nous parler. J'ai senti le regard de quelques passants. Leurs yeux se posaient sur nous, comme sur un tout, et je lisais le malaise qui les envahissait. Nous n'étions pas dans l'ordre des choses.

J'ai pensé au Commandant, à Ngalaha, puis à Joseph.

Fleur avait, ce jour-là, dénoué ses cheveux qui lui tombaient sur les épaules encadrant son visage boudeur dont j'aimais les lèvres de signares. Elle avait bien choisi le vert de son corsage. Il rafraîchissait sa peau. Au fond, c'est la couleur la mieux assortie aux rousses.

– Où m'emmenez-vous ?

– Où voulez-vous aller ?

– Où vous voudrez. Je ne connais pas la ville. Je sais seulement que c'est un ancien port négrier. Je suis entre vos mains, mademoiselle.

– Alors, je peux vous emmener très loin, monsieur.

– Je suis libre et disponible. Brûlant de découvrir de nouvelles terres.

– Attention à ce que vous déclarez, monsieur. Si c'est l'aventure que vous recherchez, vous risquez d'être emporté sur des mers périlleuses.

– Aventure ? Chiche !

Je regrettai ma phrase. Une fois encore, j'avais employé un mot trop roupéen.

– Ne vous réjouissez pas trop vite. Une aventure dans une cale de navire. En esclavage !

– J'entends bien. Je suis votre serviteur, dans vos fers, madame.

– Alors, cap sur l'île Feydau.

Je m'étais gardé d'indiquer que je m'étais déjà rendu en pèlerinage dans le quartier. Et elle m'a conduit rue Kervégan, d'hôtel négrier en hôtel négrier, me racontant tantôt l'histoire de la ville, tantôt des pans de celle de notre race. J'étais déjà passé par là tout seul, mais je percevais et apprenais comme s'il s'agissait de la première fois. Puis, il y a eu le silence. Avec elle, même ma respiration avait changé. Nous avons marché sur le pavé, méditant, comme à la sortie d'un cimetière. C'est elle qui a repris la parole. Un commentaire sur cette période-là. Et j'ai exprimé mon indignation par des vers qui me sont naturellement venus à l'esprit.

– C'est beau. De qui est-ce ?

– Césaire.

– Quel siècle ?

Et ce fut mon tour de jouer, avec fierté, mon numéro de professeur.

De fil en aiguille, une grande partie de la négritude y est passée.

– Ça donne soif de déclamer comme ça, a-t-elle déclaré. (Et elle m'a pris la main.) Venez, on va entrer ici.

Puis, comme effrayée de son audace, elle m'a lâché.

– Pas maintenant.

C'est perdre son temps que de chercher et de vouloir débrouiller le nœud des choses à l'aide de la raison. C'est une force invisible qui me rivait à elle. Je suis demeuré avec Fleur jusqu'à la fin de l'après-midi.

Une lumière rasante tombait sur Nantes et mes pensées se sont brusquement assombries. Elle m'a demandé si je maintenais mon départ au lendemain. Il y avait comme un défi dans son regard. J'ai répondu que je n'avais pas le choix : des copies à corriger, coûte que coûte.

Ses yeux de citronnelle ont pris la teinte des flots des lames de la côte sauvage, au large de Pointe-Noire, quand, de leurs grandes palmes affolées, les cocotiers annoncent l'orage. Puis elle a relevé la tête. Quelque chose de méprisant et un mouvement d'irritation sur les lèvres, lorsqu'elle a repris :

– Vous auriez pu les apporter.

– J'ignorais l'existence d'un carnaval à Nantes.

– C'est vrai. En dehors de la région il n'est pas très connu. Il ne vaut pas celui de Rio ni même celui de Nice mais il est à dimension humaine... On y fait des rencontres... Idiot !

– Pardon ? Voulez-vous répéter ?...

– Vous n'écoutez même pas ce qu'on vous dit. Dès qu'on évoque les rencontres des nuits de mi-carême, vous partez rêvant dans je ne sais quel, ou plutôt, je sais bien, quels fantasmes... Faut dire qu'en ce qui concerne la galanterie, messieurs les Congolais, vous m'en apprenez tous les jours...

La gamine-là m'insulte et quand je lui demande des explications, la voilà qui se met à me sermonner ?...

–... je disais qu'il était idiot que vous n'ayez pas pensé à emporter vos copies avec vous.

Le soleil pâle adoucissait les couleurs de la ville et faisait descendre sur elle une ambiance triste. La même qu'un après-midi de saison sèche au village. La dame au péplos est revenue m'envoûter et je ne suivais plus ce que disait Fleur. Nous nous sommes séparés à l'entrée du Jardin des plantes en échangeant nos adresses. J'ai rangé la sienne dans mon portefeuille sans la lire.

En arrivant devant l'*Hôtel de la Duchesse Anne*, j'ai reconnu la Chevrolet Bel Air. Soigneusement garée, elle était recouverte d'une mince couche de poussière. Par le téléphone intérieur, j'ai appelé Vouragan. Sa voix était bizarre. Je lui ai demandé s'il avait une angine. Il a ri et dit que ce n'était, Dieu merci ! que la gueule de bois. J'ai compris que je l'avais réveillé ou bien, pire, interrompu... Mais je partais le lendemain. Il fallait bien qu'on s'entende sur un certain nombre de détails : où déposer le scooter, la clé de sa chambre ?... Et puis, ma foi, le remercier, faire le point, se dire au revoir, prendre date. Il a déclaré que je n'avais pas à m'excuser ; que je ne changerais jamais avec mes politesses superflues. Des manières de Blancs !...

Vouragan m'a fait attendre un moment devant la porte, avant de venir m'ouvrir. Les femmes de chambre dans le couloir me dévisageaient comme si j'étais un suspect. Avec mon teint et tout ce que publiaient les journaux ces temps-ci, elles devaient me prendre pour un fellaga.

Vouragan m'a reçu le corps nu sous un drap noué à l'épaule à la manière des Ghanéens. À vrai dire, la couleur du linge évoquait plus une toge romaine qu'un pagne africain et réveillait les fantasmes et les odeurs du péplos de la nuit magique...

Nous sommes restés dans le salon de la suite. Mme de Vannessieux devait dormir ou récupérer dans une tenue non présentable. Sur la table un goulot penché dépassait d'un seau en argent. Une bouteille de whisky et des reliefs d'un repas pris au lit n'avaient pas été débarrassés.

– Comme ça, donc, tu veux partir ?

J'ai dû à nouveau lui fournir toute une série de raisons empreintes du sens du devoir. Je ne voulais pas lui expliquer qu'il vaut mieux éteindre le feu avant qu'il n'atteigne les herbes de la savane. Il se serait moqué de moi et aurait sans doute, une fois de plus, fait référence à la puissance des fétiches malinkés. Quand je lui ai parlé de mes copies, il m'a interrompu.

– Qui note qui ? Toi ou les élèves ?

Il a vu que je ne comprenais pas et a dit que ce n'était pas grave.

– Passons... Sais-tu que des cons de ton calibre le monde n'en engendre plus ? Si tu savais le nombre de ceux qui donneraient une journée de leur vie pour pouvoir venir dégager dans la rue Crébillon...

Il y avait longtemps que je n'avais pas entendu employer le mot « dégager » dans ce sens.

Vouragan s'est aperçu de ma distraction et s'est arrêté en montrant une certaine impatience avant de reprendre :

– Les jeudi et dimanche de mi-carême sont les deux seules journées de l'année où les Baroupéens d'ici deviennent un peu nègres. Ces deux nuits-là, l'émotion devient hellène. Nantes se déverse dans la rue et talonne le pavé au rythme du tam-tam. Seules comptent la danse et la bagatelle. Les bourgeois abandonnent leur morale à la consigne. Ils n'iront même pas à confesse car faire la chose-là, durant ces nuits sacrées, n'est pas péché. Deux jours seulement. Après, fini pour un an. Chacun reprend son emploi du temps et sa morale de calotin ou de parpaillot. Je sais que ce n'est pas marrant d'attendre jusque-là. Peut-être que j'aurais dû t'assister un peu plus, mais...

Il me sourit d'un air malicieux et regarda en direction de la chambre où j'imaginais Mme de Vannessieux patiente, la peau frileusement enroulée dans des draps de satin...

Je protestai et lui racontai ma visite de la ville, sans mentionner la présence de Fleur.

– Tu as vu tout ça ? Seul ? Mais tu en connais plus que moi !

J'ai accepté un whisky sec. Lui s'est servi de l'eau gazeuse glacée, et j'ai avalé mon verre d'un trait comme un médicament. Il a fait des allusions à ses exploits de matelas et s'est plaint du sort que Mme de Vannessieux lui faisait subir. Il prenait le ton d'une victime et évoquait de possibles protestations et grèves de représailles. La femme-là était une folle. Mieux ça se passait et plus elle exigeait.

– Une capricieuse ! Je la gâte trop. On a beau être nègre et aimer le péché magique, c'est comme de consommer du safou à jeun, à midi et encore au souper.

Il m'a demandé si je n'avais pas sur moi un bâtonnet de racine à mâchonner. Il avait besoin de recharger son margouillat. Je me suis dit évidemment qu'il exagérait l'appétit de Mme de Vannessieux. Je gardais d'elle une autre image. Celle d'une dame chic, avec de la classe et de l'éducation. Toujours en tailleur Chanel. Au demeurant, de grande simplicité dans ses rapports. Elle m'appelait André et voulait que je l'appelle, comme Vouragan, par son prénom. Déborah. Je n'ai jamais osé.

Puis je rendais hommage à celle qui osait aimer librement jusqu'au dépassement de soi. Tandis que moi, petit fonctionnaire pot-au-feu, j'avais été incapable la nuit de pleine lune de barricader la porte et d'empêcher la dame au péplos de s'en aller.

Non, je n'avais pas de bâtonnet rechargeur sur moi, mais si Vouragan voulait...

– Laisse. Je demandais ça comme ça. C'est un excellent prétexte, pour l'obliger (ici il allongea les lèvres en direction de la porte de la chambre) à prendre un peu l'air.

Il m'offrit à nouveau du whisky, me tendit une cigarette, et se servit un verre d'eau gazeuse.

– Alors, tu as vu les hôtels des négriers ? Tu sais, mon cher, beaucoup de bourgeois de ce bled ont encore aujourd'hui gardé la mentalité de ces siècles-là...

Le chapeau dans la vitrine aurait mieux fait l'affaire. Je me suis trop vite décidé en pénétrant, hier, dans la boutique du premier chapelier rencontré.

C'est qu'il me fallait quelque chose d'assorti à ma gabardine et suffisamment discret pour ne pas trop attirer l'attention. Je n'ai pas regardé à la dépense.

Je me demande si mes lunettes de soleil, même style Ray Charles, suffisent à me masquer. Le moment de surprise passé, Fleur pourrait bien me reconnaître. Si j'avais été plus patient, je me serais laissé pousser une barbe de matswaniste*.

J'avais obtenu un rendez-vous pour hier. Le cœur battant, je m'y suis rendu en suivant l'itinéraire que je pourrais maintenant refaire les yeux bandés.

Mais, en débouchant dans la rue de Coulmiers, j'ai distingué une silhouette de jeune fille, juste à la hauteur du cabinet du docteur. J'ai cru que c'était Fleur et me suis caché dans l'encoignure d'un porche. J'ai finalement rebroussé chemin et suis entré dans une pharmacie pour acheter une brosse à dents. Pendant que l'on me servait, je me suis examiné dans la glace. J'ai eu le sentiment que, malgré les lunettes noires, Fleur aurait pu me reconnaître. J'ai flanché et tout remis à plus tard.

* Secte congolaise.

Ce matin, en appelant de l'hôtel pour un nouveau rendez-vous, j'ai changé de nom. Lebrun. C'est ainsi qu'au pays on désigne ceux qui ont la peau claire. Mais c'est venu naturellement, sans réfléchir. C'est bien plus tard que j'ai songé au rapprochement.

Une fois encore, j'ai contrefait ma voix.

J'ai vraiment l'air sinistre avec ce couvre-chef et ces lunettes noires. Mais, cette fois, j'irai jusqu'au bout.

On ne comprendra pas le dénouement de cette histoire si j'omets de faire mention du pneumatique étrange que je reçus, au moment où je bouclais mes valises.

Je ne connaissais pas l'écriture sur l'enveloppe bleue en papier toilé.

> *« Tu ne sais pas, cruel, le philtre que tu as versé en moi. J'en brûle et n'en dors plus.*
> *» J'ai besoin de tes caresses.*
> *» Dimanche, dès que la nuit sera tombée, mon fantôme rôdera sur la place Royale, autour de la fontaine, là où les gens dansent.*
> *» Cette fois-ci, je serai Judex. Mais tu me reconnaîtras à mon chapeau et à mon masque noir. »*

C'était signé « la dame au péplos ».

J'ai palpé, songeur, le papier avion bleu.

Malgré la grandiloquence un peu grotesque de la prose, le vent du mystère est passé et m'a fait frissonner. À six mille kilomètres, on n'échappe pas aussi vite à la vision bantoue de la métaphysique. Dans ces moments-là, c'est mon ventre qui palpite.

J'ai caressé mes trois cauris.

J'ai immédiatement reconnu la femme à la blouse blanche qui m'ouvre la porte. Michèle Morgan, au visage dessiné par Cocteau. Il y a de la méfiance dans son attitude. Il est vrai que ces lunettes de soleil et mon chapeau ne sont pas pour rassurer. En entendant mon nom, elle hoche la tête d'un air entendu puis fronce le sourcil pour mieux me considérer par-dessus ses lorgnons.

– J'ai rendez-vous...

Le regard change. L'élocution a produit son effet. Mais je m'en veux d'avoir fait le numéro du chien bien dressé. C'est comme si je m'étais vendu. Elle ouvre un peu plus la porte, ôte ses lunettes et, après m'avoir évalué du regard, m'invite à entrer.

– Attendez ici, je vais voir.

Les pardessus accrochés dans l'entrée ressemblent à un paquet de pendus inertes. En face d'un médaillon géant une dame boutonnée jusqu'au menton me surveille et le port de tête hautain maintient la distance convenable entre sa caste et les visiteurs. C'est une photo du début du siècle couleur chocolat au lait. Photo ou coup de crayon ? Finalement, photo. Un visage de femme avec l'esquisse d'une expression de dédain au coin de la lèvre. Le chignon noué au-dessus du crâne souligne la délicatesse de la nuque.

La dame à la blouse blanche revient. Elle devait être, il y a seulement quelques années, d'une grande beauté. Un sourire passe sur son visage.

– Vous êtes en avance, monsieur.

Effectivement. D'une demi-heure ou presque. Sous ses manières raides de surveillante générale, j'ai reconnu des inflexions de la voix de Fleur.

Serait-il inconvenant de se présenter trop tôt à un rendez-vous ? J'ai mal évalué la distance. Pourtant, j'étais venu, à plusieurs reprises, reconnaître les lieux.

Cette fois-ci le sourire de la dame est glacé. Je trouve une excuse pour conserver ma gabardine et mon chapeau. Elle examine mes lunettes à la Ray Charles, et son visage exprime de la contrariété.

En face de la femme au chignon, un autre médaillon de même teinte. Un officier en tenue de hussard et moustaches à la gauloise lève le menton. Sans doute le grand-père André.

– Prenez les patins, s'il vous plaît.

Je pense à Mme Chantreau et réprime un sourire.

La dame avance devant moi dans l'étroit couloir. Une femme proche de la cinquantaine, au corps encore compact et aux hanches élargies par le temps. Avec l'âge et quelques accouchements, ceux de Fleur auront peut-être ces dimensions.

– Entrez.

Michèle Morgan tient la poignée de la porte et m'inspecte des pieds à la tête. Son regard rencontre le mien et j'ai un moment d'émotion. La même lueur que celle qui s'installe dans les yeux de Fleur quand elle cesse de se surveiller.

Elle me tenait la main et, malgré ses talons, marchait à grandes enjambées, comme s'il fallait agir avant que la lune ne reprenne son voyage, le soleil sa course, les saisons leur rythme. Comme s'il fallait se hâter avant que les trains ne repartent et se remettent à obéir aux horaires ; avant que les emplois du temps des écoliers et des greffiers ne rétablissent la férule ; avant que les agents de la circulation ne remettent les voitures au pas.

Le contact du gant me gênait, mais je ne lui lâchais pas la main et courait derrière elle, comme un enfant que sa mère arrache de la vitrine de ses rêves ou entraîne loin des flots périlleux.

Nous avons enfourché le scooter et filé chez Vouragan. Elle ne m'a même pas demandé pourquoi je ne prenais pas le chemin de la nuit de notre rencontre.

Les talons de ses bottes ont résonné sur le plancher du couloir et j'ai craint que Mme Chantreau n'entrebâille la porte pour pointer son nez et ronchonner.

Après avoir tourné la clé à double tour, elle s'est jetée dans mes bras, et ses lèvres ont happé les miennes. Et la langue de la victime s'est mise aussitôt à frétiller. Alerte, celle de Judex cherchait à se nouer à la mienne et c'était comme si nous voulions échanger nos âmes. Quand Judex m'a vu tâter le mur pour y chercher l'interrupteur, il (mais je savais que c'était *elle*) a dégainé et, me tenant à distance, a pointé son épée sur ma gorge.

– Je t'interdis, chuchotait-elle, fiévreuse et menaçante, je t'interdis.

Sa voix sonnait autrement que l'autre nuit.

Toujours l'épée tendue vers moi, elle s'est dirigée vers le cabinet de toilette, y a allumé la lampe au-dessus du lavabo, puis est revenue, laissant entrebâillée la porte entre les deux pièces.

Chacun de ses gestes paraissait prémédité et calculé.

Tout s'était passé très vite. Bousculé par les monômes et les lanceurs de confettis, dans une atmosphère de liesse où se mêlaient gaieté et brutalité, je ressemblais à une pirogue abandonnée sur le fleuve quand passe alentour un bateau à roue ou quelque pinasse folle. J'ai soudain senti un baiser dans le cou. Le temps de me retourner, et une main gantée avait déjà saisi la mienne. Derrière le loup, j'ai reconnu à ses cheveux d'ébène qui dépassaient la dame au péplos. Son chapeau aurait pu, tout aussi bien, appartenir à Zorro ou au dernier des fédérés. Tout de noir vêtu, de la cape aux chaussures, semblable à celui de l'écran, Judex était au rendez-vous. Ne laissant aucune chance à sa proie, il avait droit fondu sur elle.

Dans ce charivari où la foule se pressait comme à la sortie d'un stade, la femme masquée m'entraîna par une rue pavée. Nous descendîmes quatre à quatre les marches du passage Pommeraye. Nul ne remarqua l'enlèvement. Elle ne dit mot, mais je compris que nous ne nous attarderions pas au bal, ce soir. Il fallait agir de surprise, avant que sonne le carillon inconnu, avant que les gardiens de la loi se réveillent. Elle marchait légèrement devant moi, sans se retourner, se contentant de raidir le bras quand il fallait me faire hâter le pas. Je la trouvai plus mince que dans mon souvenir. Était-ce l'effet du déguisement ? Le noir amincit, paraît-il...

Judex, concentrée, refusait de parler, s'exprimant par des gestes lents où se lisait la charge de passion dont elle contrôlait la libération. Il n'était pas difficile de comprendre.

J'ai failli tout gâcher quand j'ai voulu, dans un geste naturel, ôter son masque.

Je devais me maîtriser, me laisser faire. Esclave, vidé de toute volonté, proie de je ne sais quel sortilège, je souhaitai que le soleil ne se levât plus et que les chevaux du carrosse ne redevinssent jamais souris. Ce soir, c'était elle qui me déshabillerait.

Découvrant le plaisir des paysages inconnus, je m'abandonnais, sans protestation ni résistance. Il y a un charme à se laisser tourner et retourner, pétrir au gré des fulgurances cadencées par des mains de palissandre. C'étaient les doigts de la coiffeuse dont les massages savants, mais naturels, détendent les membres et closent les paupières. Utilisant toutes les ressources et la douceur combinée des arts du prestidigitateur et de l'hypnotiseur, elle réussit à nous dévêtir sans que jamais je n'eusse à lui fournir le moindre secours, sans qu'aucun de nous deux n'eût à se sentir abandonné, même le temps d'une goutte d'eau. Nos mains, en des gestes lents et musicaux, découvraient chaque espace de nos corps. Elle s'est agenouillée, et le chuchotement des feuilles tressaillant quand l'alizé s'en vient indiquer l'heure de la soirée a traversé mon cœur. Il devint impossible de maîtriser le flux qui montait dans ma poitrine et, suffoquant, rempli d'une grâce païenne, je m'agenouillai à mon tour, parce que c'était trop, Seigneur, trop, trop, trop... Parce que je voulus, moi aussi, l'adorer.

Et me parvinrent, comme un bruit de cascade, les monosyllabes des premiers êtres découvrant un prodige dans les cieux ! Tendant les mains, elle me priait tout à la fois de l'emporter encore, encore, sans cesse et de la délivrer parce que ce n'était plus, Vierge Marie, possible. De l'emmener, vite et loin. Vite et loin. Longtemps, longtemps, sans jamais me lasser. Et moi qui fuyais, vent debout, insouciant de la direction, moi qui, dans la déraison, désobéissais pour rattraper une voix qu'emportaient les tourbillons de l'ouragan...

Ah ! mes frères, le coup d'aile de l'envol n'est jamais identique...

Il y a peu de lumière, et une odeur d'encens et de sacristie flotte dans la salle d'attente. Assis sur le côté d'une marquise Louis XV, un homme aux cheveux moutarde lève la tête puis me regarde, plisse un très court instant le front puis se replonge dans son journal. Je m'assieds sur un fauteuil à dossier en forme de médaillon déjà bien fatigué et au tissu défraîchi. J'aurais dû prendre avec moi quelque chose à lire. Je trie les magazines sur la table basse. Ils datent de plusieurs mois, voire d'un an pour l'un d'entre eux. Un *Point de vue-Images* dont la couverture a été déchirée accompagne quelques numéros du *Chasseur français*. Le client sur la marquise fouille dans une poche, en extrait un stylo à bille et griffonne sur une enveloppe dont il vérifie au préalable le contenu. Je crois qu'il étudie la page des courses.

Deux défenses d'ivoire plus hautes que moi forment un arc de part et d'autre d'une horloge qu'elles semblent soutenir. Objets insolites dans un bric-à-brac où se côtoient des fauteuils d'un autre temps, une table vernie à plaque de Sèvres, une armoire de style imprécis. L'horloge, en martelant délicatement les notes du carillon de l'abbaye de Westminster, rappelle la magie et le mystère tragique de l'insaisissable instant.

Michèle Morgan en blouse blanche ouvre la porte, sourit au turfiste qui a compris, se lève et la suit.

La porte s'est refermée sur moi. L'odeur et la pénombre de la pièce m'oppressent. Les tapis aux couleurs délavées, les lourds rideaux décorés de motifs rococo, ce fouillis de meubles de style Louis quelque chose vous donnent l'impression d'être dans un débarras rempli de miasmes malsains. Je rejette le vieux numéro de *L'Auto-Journal*.

Sur le plateau d'une commode pansue en bois de rose, un groupe de sculptures en ébène attend le signal de quelque tam-tam perdu pour reprendre la palabre et les gestes qui la rythment : plusieurs bustes tékés, une maternité fang et une femme baoulé aux fesses musclées. Le Mousoundi assis les bras croisés sur un genou ressemble à un esclave malheureux qui songerait au pays perdu. Pourtant sa calotte et son tatouage indiquent qu'il s'agit d'un haut dignitaire. C'est comme si l'artiste avait prévu de mettre dans ses yeux la nostalgie de l'exil. Exil consumé peut-être dans une geôle qui devait sentir l'odeur de cette salle. Je passerais des heures à contempler la figure hermaphrodite aux épaules rehaussées sur la commode acajou. Un être pétrifié dans l'instantané d'un moment de la danse. J'ai déjà vu les lignes de ses jambes dans le tableau de quelque peintre moderne. Est-ce volontairement que le docteur Leclerc a conservé les cornes à « médecines » attachées au bras droit ? Sait-il leur pouvoir de guérison ? Le fétiche à miroir sur lequel sont incrustés un cauri et d'autres accessoires d'où il tire sa puissance mystérieuse me glace le sang. Quand le tam-tam perdu résonnera, le magicien téké ne retrouvera pas sa voix : son visage ressemble à celui d'un cadavre qui a emporté sous ses paupières tuméfiées le mystère du passage d'un monde à l'autre. Conserve-t-il encore, si loin de son climat, l'efficacité que lui conféra un sculpteur inconnu pour protéger la maison et ses habitants ? La main levée a perdu le couteau ou la lance qu'elle brandit à l'origine.

Au-dessus de cette population hétéroclite resplendit le masque plat en forme de disque des Batékés de Mossendjo.

Une marine, format de livre, raconte un drame dans un pathos affligeant.

J'identifie les autres masques. Deux sénoufos, plusieurs fangs et pounous, des ancêtres kotas en fil de cuivre, plus élégants que ceux que font connaître les ouvrages spécialisés. J'ai des hésitations pour deux objets : Béna Loulwa ? Tschokwé ? Moukouba ? Il faudra que je vérifie.

– C'est votre tour, monsieur.

Michèle Morgan me conduit vers le cabinet du médecin. Avant d'ouvrir la porte qui donne sur la rue, l'homme aux cheveux moutarde a jeté sur moi un regard distrait et, après un sourire cérémonieux à la dame, a remonté le col de son pardessus. À l'instant précis où Michèle Morgan m'introduit, je remarque sur le mur du couloir une photo du temps d'Afrique.

Un jeune homme coiffé du casque colonial pose un pied sur la dépouille d'un éléphant. Le chasseur ressemble de façon troublante à des photos de moi. Si je n'avais pas ces lunettes noires, la dame à la blouse blanche le remarquerait et m'empêcherait d'aller plus loin.

On dirait d'ailleurs qu'elle hésite à me laisser seul avec son mari.

Le carillon de Westminster a recouvert la voix bien timbrée du médecin qui s'est levé pour m'accueillir. Il a sonné les coups de l'heure.

Chaque note entrait dans mon cœur comme celles du glas.

Elle avait salué le ciel d'une voix de gospel. Maintenant que les flots s'étaient apaisés, les vents arrêtés et que la paix descendait sur la surface des choses, j'ai voulu contempler le visage de la femme au péplos. Je me souvenais de son teint mat et de son profil. Un coup de crayon de maître. J'ai voulu le contempler encore. Judex m'a enfin laissé faire et j'ai pu atteindre la poire de la lampe de chevet.

À genoux au-dessus de moi, elle me narguait comme un lutteur qui vient de terrasser son adversaire. J'ai avancé ma main vers son visage quand, d'un geste brusque, elle a, elle-même, arraché la chevelure d'ébène de la femme au péplos.

Mam'hé !

Un châle de chevelure rouge se déroula jusqu'aux reins...

Mam'hé ! Ah ! tchiadi eh !

Des yeux victorieux et moqueurs, rayonnant de joie et de défi se fichèrent dans les miens attendant, si j'en avais la force, si j'en étais capable, ma réponse.

J'ouvris la bouche, y portai ma main pour cacher mes dents.

Mam'hé ! Fleur !

Quel est le sens de cette quête ? Au bout du compte, je n'ai pas d'autre père que Joseph. Plus je réfléchis, plus je me reproche de n'avoir pas su déclencher le dialogue quand nous étions seuls comme cette nuit de fin de saison des pluies.

Malgré l'heure, on suffoquait de chaleur et l'orage n'arrivait pas. Draps et pyjama étaient intolérables. Je me suis glissé hors de la moustiquaire, un de mes livres favoris à la main.

Joseph m'avait précédé sur la véranda. En tricot de corps et pantalon de pyjama, il s'était endormi sur une chaise longue. Il s'est brusquement réveillé comme si je m'étais introduit dans son rêve.

Nous avons longtemps regardé le ciel. Des ballots neigeux se regroupaient lentement et prenaient la forme d'une enclume grossièrement sculptée dans la matière.

– Tout à l'heure, ça va donner, dit Joseph dans un bâillement et en s'étirant.

En contemplant la multitude d'ampoules lumineuses et immobiles, là-haut, je ne savais par où commencer mon propos. J'ai renoncé à reconnaître la Croix du Sud. Chacune de ces épingles était-elle un être, une âme, un monde ?

– Tu vois le groupe d'étoiles-là ?

La main de Joseph montrait quelque part au-dessus

de Léopoldville, côté chutes du Djoué. Il bâilla et s'étira de nouveau.

– Quand j'étais petit...

Et Joseph m'a conté l'histoire de la création de ces astres. Ça commençait par des animaux qui ressemblaient à des hommes.

– Je m'en doutais, dit-elle en lâchant une bouffée de fumée.

Le dos appuyé contre le mur, les jambes repliées, dans le désordre des draps, elle avait posé sa joue sur ses genoux. Elle chuchotait comme pour éviter que notre secret ne s'échappe.

– Je m'en doutais, rien qu'à te voir.

Elle a parlé de moi comme d'un aliment dont elle venait de découvrir le goût et a ajouté une appréciation flatteuse pour la race.

– Le nègre trafiqué par le Blanc ! ai-je corrigé.

Je marmonnai quelque chose d'inaudible dont on ne savait plus s'il s'agissait d'amour ou de prières. Elle réfléchit un moment, les yeux à la recherche d'une nuance.

– Non. (Elle hésita.) Non. Un nègre, fait de sa race et de sa propre nature.

– Sa nature ?

J'ajoutai un raisonnement boiteux.

Elle se jeta sur moi tous ongles menaçants et nous jouâmes à la lutte en poussant de grands éclats de rire comme si nous voulions être entendus des voisins.

Finalement, j'avais prolongé mon séjour à Nantes d'une journée encore. Je ne voulais pas rester dans le lit de Vouragan. Il pouvait surgir à l'improviste.

– Et alors ? Ses yeux de citronnelle virèrent au vert dur et brillant de malachite. Moi, j'aimerais justement qu'il nous découvre ainsi.

Elle passa sa main autour de mon cou et commença à délacer mon collier de cauris. Je me suis redressé et l'ai arrêtée d'un geste ferme.

– Laisse, implora-t-elle la voix câline et voilée. Je veux que rien, tu m'entends, rien ne m'empêche de baiser chaque millimètre de ta peau.

Démissionnant, je me suis rallongé sur le dos et, les doigts en râteau, j'ai gratté et massé doucement son cuir chevelu.

Elle se penchait et avançait ses lèvres de signares qui rejoignaient les miennes, les massaient, les dévoraient, et pliaient tout mon être à sa volonté.

Quand elle s'est levée pour s'enfermer un instant dans la salle d'eau, j'en ai profité pour retrouver le message que j'avais reçu de la femme au péplos. C'était bien le même papier avion bleu sur lequel j'avais vu Fleur écrire quand j'étais arrivé, quelques jours auparavant, au rendez-vous du *Pot-au-lait*.

Finalement, nous avons déménagé. À cause de Mme Chantreau.

Dehors, sur le chemin de son studio, il pleuvait à vous en faire grelotter. Les crachats du ciel contre les vitres déformaient les scènes de la rue comme les miroirs des fêtes foraines. Le vent hurlait, et nous imaginions la souffrance des arbres et des marins. Elle fleurait le réséda, et c'était bon d'en sentir remonter l'odeur du fond du lit.

J'ai pensé à Vouragan et à Mme de Vannessieux.

Nous avons joué, papoté, dormi en pointillé, philosophé, papoté, et joué de nombreuses fois encore.

Les membres vidés, je serais demeuré étendu, sans un geste, toute une éternité, laissant je ne sais quelle eau délicieuse découvrir lentement les méandres et les recoins de mon être, permettant au temps de reconstituer chaque gramme de nos forces.

Elle essayait sans succès de faire des ronds, en soufflant la fumée de sa cigarette. Je me moquais d'elle et lui faisais une démonstration de mon talent en la matière, sans vraiment lui indiquer le secret pour réussir.

Elle me parla de sa famille, de son père. Il avait vécu, dans sa jeunesse, en Afrique centrale, mais demeurait discret sur ces années-là. Elle avait trouvé, un jour, au grenier, des photos de l'époque. Un homme autoritaire. Secret. Il dirigeait sa maison comme une caserne.

Couchée sur le ventre, une jambe repliée, sa chevelure de feu dénouée jusqu'aux reins, elle ressemblait à un félin royal au repos. Tel un peintre devant son modèle, j'appréciais la finesse de ses formes. J'effleurais de mes doigts sa peau chair de pêche, comme pour en apprendre la texture par cœur.

Le port de tête, le dos, la cambrure des reins, le dôme des fesses auraient pu être d'une négresse. Seuls les cheveux et les pieds avaient la douceur des bébés soigneusement talqués.

Dans un des moments les plus intimes de nos jeux, elle m'examina avec une attention étrange.

– Tu es juif ?

– Ça alors ! On m'a déjà affublé de tous les passeports, mais celui-là !...

– Il n'y a pas de honte à être juif. Ma mère l'est.

– Absolument aucune honte. Il y a même quelque chose de commun entre l'histoire des juifs et celle des nègres. D'ailleurs, tu as raison, je suis juif. Je suis palestinien, gitan, chicano...

– Tu pourrais être juif. Tu as visiblement un parent européen, non ?

– Peut-être.

– Peut-être ?

– Ouais. C'est ce qu'on m'a dit. Mais qu'est-ce que ça peut faire ? S'il vit encore quelque part, nous n'avons plus la même odeur. À force de manger différemment...

Je donnais un festival de ronds de fumée, et elle tenta à nouveau de m'égaler au jeu. Elle en réussit un, s'applaudit, et nous éclatâmes, tous deux, d'un rire d'enfant.

– Sais-tu si c'est ton père qui a exigé cette circoncision ?

J'esquissai un sourire de pitié.

– Ce que je dis n'est pas si con que ça.

Je pris un air mystérieux.

– Ton Africain ne t'a donc pas expliqué ?

– Mon Africain ?

Vexée, elle s'était brusquement redressée, prête à bondir et à griffer.

– Ton père, je veux dire.

– Les pères européens ne parlent pas de sexe à leurs petites filles.

– Ça, ce n'est pas la circoncision des cliniques. C'est la circoncision par laquelle on devient un vrai mâle.

Et je me mis à raconter mon initiation, non pas telle que je l'avais vécue, mais ainsi que je l'avais lue dans des traités d'ethnologie car, comme on le sait, nous, les Bagangoulous, pratiquons la circoncision dès la naissance.

Ngalaha n'aurait au demeurant jamais permis que le fils du Commandant fût traité à l'indigène et circoncis à la machette. En fait, je suis un circoncis d'hôpital. Mais j'avais besoin de me couvrir de gloire aux yeux de Fleur, j'avais besoin de me rattacher à ma famille de la forêt.

Nous avons abordé d'autres sujets : les livres, le cinéma, un peu la peinture et la musique. À plusieurs reprises, j'interrompais la conversation, pour lécher et sucer encore sa peau sorbet de pêche, pour tapisser mon palais de son goût de corossol. Quand je manquais de brièveté et que je récitais, en adoptant le ton de la brusque inspiration, mes fiches sur Gide ou Sartre, le petit animal à la chevelure en forme de flammes et à couleur de vin clair prenait mes lèvres dans les siennes, me démontrait sa science des ondes et des molécules magiques.

Je me suis endormi et, quand je me suis réveillé, elle était descendue acheter des provisions.

Une fois encore j'ai essayé de reconstituer la trame des événements qui m'avaient conduit dans ces draps. À tout bien considérer, je n'avais pas été la proie de mirages quand, par deux fois, j'avais cru apercevoir Fleur sur un balcon de la place Royale.

Au-dessus du lit, il y avait des livres. J'ai parcouru les titres et extrait un Sophocle d'une collection de luxe.

Malgré le talent du traducteur, il manquait au texte cette force primitive que je ressentais dans la langue originale de l'auteur. Il est plus facile de le traduire directement dans une langue bantoue, en sautant le français. De retour à Brazza, je m'y essaierai avec mes élèves.

J'ai dû m'endormir encore et n'ai pas entendu Fleur revenir.

La pluie avait collé ses cheveux sur sa peau. Ils ressemblaient à des poils de noix de coco trempés. Elle a ramassé le livre que j'avais laissé tomber en m'endormant, en a lu le titre et froncé le sourcil.

Elle a eu tort de venir alors rafraîchir ma peau de ses lèvres. Vous connaissez le sang nègre. Je ne pouvais plus m'empêcher de battre le tam-tam des nuits sombres. Vous aviez beau, ma chère aux yeux de citronnelle, gémir, implorer les cieux et demander pardon, il ne fallait pas, jeune rayon de lune, vous promener si près des sources chaudes. Je me suis empiffré de votre jus de corossol.

Dis, ô toi, dis, s'il te plaît, c'est la bonté qui nous inondait alors !...

Dans le train du retour, j'ai lu Camara Laye, d'une seule traite. J'avais soudain recouvré ma liberté. La paix de l'âme était revenue et, avec elle, le rythme du souffle qui fait de la lecture une prière. À l'arrêt du Mans, j'ai acheté un journal du soir et des revues.

Les crimes, les viols et les événements à sensation m'agaçaient. Les résultats et les pronostics du tiercé ne m'intéressant pas, j'ai vite fait le tour du journal.

De ma peau, traversant ma chemise et ma veste, montait par intervalles l'odeur de Fleur lointaine, comme si elle m'avait vaporisé de son parfum de réséda. Mon cœur s'est serré, et je m'en suis voulu de ma fragilité. J'entendais Vouragan en faire des gorges chaudes. Pour une passade ! Valait mieux bomber le torse et en rire. Tu te vois, l'homme, tu te vois un peu avec une Mouroupéenne à Poto-poto ou à Bacongo ? Tu la vois se dorer la peau en bikini à la piscine du club colonial ? Tu l'imagines tirer l'eau du puits, prendre dans la feuille de bananier séché son manioc avec les doigts, le tremper dans la sauce aux gombos ? Et les enfants ? Tu sais ce que donne du café au lait additionné dans un bol de lait pur ? C'est beau les grands sentiments, mais la réalité c'est autre chose.

Le train n'allait pas assez vite à mon gré. Faute de lecture, j'ai fouillé dans mon cartable. J'avais besoin de crayon et de papier. Pas pour écrire. Juste prendre des notes.

En arrivant à Chartres, j'allais sûrement trouver des lettres de Kani. Comment lui expliquer mon silence ?

Depuis un moment, je ressentais une légère indisposition. J'ai d'abord pensé que c'était passager. Mais la sensation de lourdeur dans l'estomac persistait. Sans doute le sandwich que j'avais acheté au Mans. Je me suis reproché ma gourmandise. Un sandwich aux rillettes !... Les œufs de Fleur auraient dû me suffire. Une omelette baveuse, avec des oignons et des lardons frits qui, disait-elle, sentaient la poitrine du mâle en sueur. Maintenant l'image me soulevait le cœur. Non, je n'aurais pas dû acheter ce sandwich à l'arrêt du Mans.

J'ai repris mes journaux et magazines. Les articles de *L'Express* m'irritaient. Ceux de *France-Observateur* ne valaient pas mieux. Ces belles âmes de journalistes ne comprenaient pas l'enjeu du combat des Algériens. Voulaient trop présenter les événements de manière « impartiale ».

Mon malaise s'amplifiait. Le fait de lire assis dans le sens contraire de la marche du train devait y être pour quelque chose. Je me suis déplacé, mais je sentais des gouttelettes de sueur sur mon front. Je me suis levé et, dans le couloir, j'ai baissé la vitre du wagon. L'air était aussi chargé d'eau qu'à Nantes, et j'ai eu l'impression qu'une odeur de réséda pénétrait dans la coursive. Mon cœur s'est serré, comme le jour où nous avons pris avec les boursiers l'avion pour l'Europe, à Léopoldville. Un instant, le vent m'a fait du bien, mais, très vite, je sentais que je continuais ma plongée. Il faisait trop froid. J'ai refermé la vitre et suis retourné dans le compartiment en veillant à m'asseoir dans le sens de la marche du train. Je n'aurais pas dû acheter ce sandwich au Mans.

Dans *L'Équipe*, il y avait un article sur Dikabo. L'auteur parlait de son talent, de son sens du dribble et de la feinte et faisait une référence à Senghor. Il concluait que si le « Camerounais de Nantes » voulait s'affirmer, il lui fallait améliorer sa technique et choisir entre ses études et la carrière professionnelle. L'article faisait également mention de Vouragan, mais, bien sûr, trop rapidement à mon gré.

La nausée devenait de plus en plus insupportable. J'ai plié et jeté le journal. Même dans le sens de la marche du train, mon estomac me remontait à la bouche. Non, je n'aurais pas dû acheter ce sandwich au Mans. Les bouffées de chaleur ne cessaient de s'amplifier et j'ai cru que j'allais vomir. Je me suis levé pour aller aux toilettes et j'ai ressenti des vertiges. Des passagers qui me voyaient m'appuyer contre les parois de la coursive, puis repartir en tanguant, me regardaient avec un sourire goguenard.

Combien de temps suis-je resté à genoux, la tête au-dessus de la cuvette, le regard hagard et malheureux ? J'ai vidé tout le sac de ma poitrine et ce fut dur de racler la dernière cuillerée de bile.

Quand, soulagé, je suis revenu dans le compartiment, je me suis allongé de tout mon long et j'ai dormi comme une souche jusqu'à Chartres. En me dirigeant vers la sortie, je me sentais mieux et marchais d'un pas alerte. J'ai même esquissé quelques foulées, doucement, pour m'éprouver.

Dans le passage souterrain, entre les voies, j'ai eu un moment d'émotion. De dos, une fille, au bras d'un militaire à béret rouge, était vêtue d'un duffle-coat de la même couleur que celui qu'avait mis Fleur pour m'accompagner à la gare. Comme elle, la fille avait noué ses cheveux en queue de cheval. J'ai accéléré le pas pour doubler le couple. En fait la gamine au bras du para avait le cheveu tabac et ne possédait ni la démarche de ballerine ni la cambrure du dos de Fleur. Après avoir dépassé les jeunes gens, je me suis retourné une fois encore pour regarder la fille. Elle avait les joues roses des paysannes en bonne santé, des taches de son sur la figure et était maquillée avec mauvais goût. Le para m'a jeté un regard d'avertissement.

Chartres paraissait plus vide que d'habitude. J'ai dû attendre quelques minutes l'arrivée d'un taxi. Le para et sa compagne m'avaient rattrapé et se sont mis dans la queue, juste derrière moi. J'entendais leur conversation. La fille grasseyait des phrases beurrées de mots d'argot.

Le taxi est passé devant le lycée et les visages des membres de l'administration me sont revenus en mémoire. Je ne disposais plus que d'une courte nuit pour préparer mon cours sur Du Bellay, pour corriger les trente-huit copies de thème latin des Quatrièmes A1 et jeter un coup d'œil sur la leçon d'instruction civique que j'étais censé dispenser aux Troisièmes modernes.

Dieu merci, le malaise du train semblait passé ! Avec un cachet de Maxiton et un thé bien infusé, je serai capable de veiller tard dans la nuit. À moins que le fantôme de la petite Nantaise à la chevelure de braise...

Sous ma porte on avait glissé le courrier : une enveloppe presque transparente, bordée de galons obliques bleus et rouges, portait un timbre du pays ; plusieurs enveloppes blanches doublées, couvertes d'une écriture ronde aux pleins épais et que je connaissais bien. Kani avait tenu sa promesse : une lettre par jour. J'ai jeté la correspondance sur ma table et, après m'être installé, j'ai vidé mes poches pour retrouver la carte sur laquelle Fleur avait griffonné son adresse, à la sortie du Jardin des plantes. En fait, ce n'était pas une carte, mais une fiche bleu clair. Je l'avais glissée dans mon portefeuille sans la regarder.

Fleur Leclerc
105, rue de Coulmiers
Nantes (Loire-Inférieure)

Je me suis d'abord assis et j'ai regardé la photo de Ngalaha qui m'adressait le rayon indulgent de son sourire.

Fleur Leclerc ! J'ai répété plusieurs fois le nom comme pour l'exorciser.

La chambre sentait une odeur de moisi.

Je me suis levé et j'ai ouvert la fenêtre et les volets en grand.

Leclerc !

J'ai songé à mon arrivée et à ma première recherche dans le Bottin.

Non, les Leclerc doivent être nombreux dans cette région-là.

Sur le trottoir, un enfant, la tête enfouie dans un passe-montagne, hélait joyeusement sa mère et l'invitait à admirer comment le petit monsieur savait se tenir sur sa bicyclette à quatre roues. Soudain son frère – ou sa sœur – surgit d'un porche où il se cachait, le visage déformé par un carton-pâte monstrueux. Le petit cycliste a hurlé de peur et traité l'autre de méchant et de vilain...

On eût dit que la douleur que j'avais ressentie durant le voyage me reprenait à l'estomac et au ventre.

Je n'ai pas pu aller faire mon cours le lendemain et j'ai dû appeler le médecin.

En pénétrant dans le cabinet du docteur, on est saisi par la température. Plus chaude que dans le couloir et la salle d'attente. Le médecin s'installe derrière son bureau d'époque et m'offre, de la paume de la main, un fauteuil en face de lui. Une lampe de même style que la table sacralise tout ce qu'éclaire le cercle de lumière. Je connais cette atmosphère d'intimité. Je m'en délecte dans le silence de la Bibliothèque nationale chaque fois que je vais y faire des recherches. Saurai-je, au pays, recréer cette ambiance ?

Sur le bureau, dans un cadre de cuir, le visage d'une jeune femme qui pose de trois quarts. Sur la photo, elle ressemble encore plus à Michèle Morgan que dans la réalité. Le sourire humble et le même regard transparent que dans *La Symphonie pastorale*.

Le docteur Leclerc a commencé par prendre mes nom, prénoms, date et lieu de naissance. Dans leur premier contact avec le patient, les médecins procèdent comme les professeurs avec une nouvelle classe, et je m'imagine de l'autre côté du bureau. De temps à autre, le docteur regarde à la dérobée la photo de sa femme et paraît de plus en plus gêné. J'avais raison de penser qu'elle fut belle.

Si de petits yeux malins et fouineurs derrière les lunettes à monture d'or ne laissaient deviner un esprit vif et critique, on prendrait le docteur Leclerc pour un légionnaire à cause de son menton volontaire. Son cou de rugbyman, sa nuque bien dégagée donnent une impression de roc que rien ne peut ébranler. Mais, par-dessus tout, ce sont ses cheveux teints de feuilles d'automne qui, une fois encore, fascinent. Si j'étais peintre, je ne chercherais pas à en reconstituer la nuance. Je plongerais mon pinceau dans le poinsettia et frictionnerais comme il convient ce crâne de roc. À cette heure, sa coiffure n'est pas aussi soignée qu'en début de journée ni que le soir de la conférence. Ces flammes sur une tête d'homme ont dû impressionner les premiers Noirs qui les ont vues.

Il utilise un stylo Parker à capuchon doré. Le même que celui que Kani m'a offert à notre premier anniversaire, pour me décider à écrire !... La plume est restée un instant suspendue quand j'ai récité chaque ligne de mon identité. Nom : Okana. Prénom : j'ai inventé Moïse, puis ajouté André. Moïse André.

Derrière mes lunettes noires, il m'est facile de fixer le docteur. Il a réussi à encaisser le coup avec dignité.

Sur le bureau d'époque, à côté de la photo au cadre de cuir, une autre, dans le sens de la largeur, sous une plaque de verre. Trois enfants regardent l'objectif en ouvrant la bouche de bonheur, un jour d'été à la campagne. Un garçon et deux filles. Malgré la différence de taille, on dirait deux jumelles. Le cliché en noir et blanc ne permet pas de savoir si elles ont les cheveux du père.

Une pendule a retenti. Des coups secs et mats. Semblables au son d'un couteau contre du granit. J'ai consulté ma montre. L'horloge de la salle d'attente possède quelques minutes d'avance.

J'observe les yeux verts du docteur Leclerc, assortis à sa peau et à sa chevelure.

– Quelqu'un de votre famille a-t-il eu des problèmes cardiaques ?

Un jeu de mots facile me vient à l'esprit, mais je souris et me retiens. Ce n'est pas le moment des échanges aigres-doux. Je ne suis venu ni mendier ni revendiquer. Je ne ferai aucun procès. Je voulais seulement te voir. Une pulsion biologique. Rien de plus. Ensuite je m'en irai et je méditerai, même si j'ignore sur quoi.

Tandis que sa plume court sur sa fiche pour consigner les éléments que je lui fournis, j'observe sur la cheminée, derrière le médecin, la pendule qui vient de sonner. Deux jeunes gens nus, vautrés avec liberté, soutiennent un cadran aux chiffres romains. Au-dessus d'eux, dans un agrandissement du format d'une feuille de copie, un homme en casquette pied-de-poule, pantalon de golf et chaussettes en damier, pose, le torse bombé, tenant sa bicyclette des deux mains. Ce doit être le grand-père André en civil.

– Votre père vit-il toujours ?

J'aurais dû lui répondre sans marquer d'hésitation.

– En...

Sa voix est voilée, comme celle d'un adolescent faisant sa première déclaration.

– ... en Afrique ?

– Oui.

Il ne voit pas mes yeux derrière mes lunettes à la Ray Charles. Pendant qu'il écrit, je continue à observer la pendule.

– Votre mère ?

– Ma mère ?

Il toussote pour se gratter la gorge.

– Oui, votre mère. Vit-elle toujours ?

Après ma réponse, il toussote à nouveau, puis sourit brusquement. Il a eu l'air bête un instant et j'en ai éprouvé de la pitié.

– Vous ne trouvez pas qu'il fait trop chaud dans cette pièce ?

Son sourire est crispé.

– Non. Moi, ça va.

J'ajoute évidemment la plaisanterie que les Africains font toujours sur ce sujet. Le sourire du docteur ressemble à un rictus. L'interrogatoire se poursuit, entrecoupé par les temps d'écriture. On dirait que le docteur est plus blanc que tout à l'heure. C'est sans doute sa lampe de bureau. J'observe, au-dessus de la pendule, une photo aux tons rouillés par le temps. Un homme en tenue de toile blanche salue un jeune général de Gaulle.

Le docteur m'invite à enlever ma chemise et à me diriger vers la table d'examen. Il fixe la cicatrice sur mon épaule, et son front se plisse discrètement.

– Un accident ?

Sa voix est blanche.

En prenant son stéthoscope, il fait tomber la photo de Michèle Morgan.

– Non, un tatouage.

Il faut être attentif pour déceler l'agacement sur son visage. Cet homme, constamment soucieux d'avoir de la classe, sait maîtriser ses émotions.

– Vous avez des problèmes de vue ?

J'hésite, puis hoche la tête. Tandis qu'il prend ma tension, couché, je détaille, derrière mes verres fumés, les traits du médecin. Les années ont légèrement affaissé les muscles du visage, mais je n'ai aucune peine à reconnaître en celui qui m'ausculte une manière de frère aîné de celui qui, au-dessus de la cheminée, salue le général de Gaulle.

Debout, je me prête à un nouveau contrôle de ma tension. Je fais face à la cheminée et je peux, tout à loisir, dévisager le jeune homme que le général de Gaulle salue en se penchant, en raison de la taille. À la chevelure près, on dirait la photo où je serre la main de l'arbitre avant la finale de la coupe universitaire de football de l'AEF.

– Tout est normal.

Son stéthoscope n'a pas décelé le changement de rythme de mon cœur. Il fixe d'un air étrange les cauris en scapulaire sur ma poitrine. En me rhabillant je coule à nouveau, hypocritement, un œil en direction de la photo.

L'interrogatoire reprend. J'ai machinalement mis la main dans une poche de ma veste et je sens le sachet de cuir que l'Oncle Ngantsiala m'a remis la veille de mon départ, en même temps que les cauris et l'ékoukisson. Je le serre dans la paume de ma main. L'Oncle s'était procuré ce grigri spécialement pour moi auprès d'un marabout du Tchad. De retour à Chartres, il faudra que j'envoie par la poste l'ékoukisson qu'il m'avait remis pour son patron *Suzanne*.

J'enlève mes lunettes et regarde au-dessus de la cheminée, puis le docteur. Il baisse le nez, pour noter mes réponses. Je le sens hésiter, balbutier dans ses questions. Ce n'est plus la voix bien timbrée qui, il y a quelques jours, exposait avec aisance et clarté le point des connaissances scientifiques sur les rapports entre la biologie, les races et les sociétés. Je serre le sachet magique dans la paume de ma main et mes yeux n'arrivent plus à se détacher des siens.

– Bizarre. Je ne trouve rien d'anormal. Vous avez un cœur de boxeur. Pas de problème de ce côté-là.

À sa demande, je reprends la description des symptômes qui m'ont conduit à le consulter. Plus nos yeux se rencontrent, plus il les fuit. On dirait qu'il change de couleur. Le rose a quitté ses joues. Sa peau a peut-être, en effet, la teinte du margouillat.

– Combien vous dois-je ?

– Vous êtes étudiant ?

– J'étais.

– Vous vivez ici ?

J'indique que je suis de passage et que j'enseigne à Chartres.

– Professeur ?

Une lueur de joie est passée sur son visage, après ma réponse.

– C'est bien. Les colonies ont besoin...

Il s'embrouille dans sa phrase.

– C'est bien.

Il sourit encore. J'ai posé mon chéquier sur le bord du bureau et répète ma question.

– Je ne peux pas vous faire payer, monsieur.

– Et pourquoi donc ?

– Parce que...

Il murmure quelque chose que je ne comprends pas. J'insiste. Je lui ai pris du temps qu'il aurait pu consacrer à un autre client.

– Non, vous ne me devez rien. Rien... Surtout pas... Rien... S'il vous plaît, s'il vous plaît.

Des tics bizarres, à peine perceptibles, secouent ses joues, comme si on y injectait de faibles décharges de courant électrique. Il sort son mouchoir et s'éponge le front.

– Fait chaud, fait chaud, trouvez pas ?...

Il se lève et va vers la fenêtre. Je le vois à contre-jour inspirer une grande bouffée d'air, puis refermer la fenêtre à l'espagnolette.

Tous deux m'ont raccompagné jusqu'à la porte.

– Au revoir, monsieur.

– Au revoir, papa, au revoir, maman.

Michèle Morgan, stupéfaite, a ressemblé un instant à Fleur que la vie aurait empâtée.

– Ça vous étonne ?

J'ai remis mon chapeau sur la tête.

– ... Dans ma langue, les mots monsieur et madame n'existent pas. On appelle papa et maman tous ceux de la génération de nos parents.

– Mais d'où êtes-vous donc ?

La voix de Michèle Morgan a retrouvé de l'assurance. Je coule un sourire complice au docteur. Elle se tourne vers lui, le visage défait.

– C'est un signe de respect.

Quand je serre dans la mienne la main de la dame en blouse blanche, je la sens fragile et crispée. Celle du docteur est moite et visqueuse.

– Adieu !

Ma voix n'a pas tremblé. Elle a le timbre viril et rauque de Ray Charles. Je tourne le dos au vieux couple, remonte le col de ma gabardine, puis me fonds silencieux dans le crachin et le brouillard de la ville. Je sors mon mouchoir, m'en essuie la main et le jette dans une boîte à ordures. Il faut enfiler les gants et garder mes verres fumés. Que personne ne voie la couleur de mes yeux ! Que personne ne sache ce qui se passe dans ma poitrine !

Nous en avons vu d'autres dans les siècles passés.

Je fredonne un air du chanteur aveugle américain.

Yéhé héhé, yéhé héhé...

Un air que chante un piroguier, pagayant contre le courant, quand le soleil rougit et l'air tiédit, quelque part sur les bords de la Nkéni, tandis que les dernières femmes, accompagnées de leurs bambins nus, rincent le linge dans la rivière couleur de kola.

Un homme qui vient en sens opposé a ralenti le pas en voyant ma silhouette. D'un air dégagé, il change de trottoir.

Yéhé héhé, yéhé héhé...

Pourtant ce n'est pas, passant, un chant de guerre. N'aie pas peur, frère au visage pâle. Je ne jugerai pas mon père, ma mère me l'a enseigné. Je n'exigerai pas ma place sur le mur du musée de son foyer, je ne réclamerai pas les statuettes de la salle d'attente.

Sur la plaine de la prose, je vocalise les tons du nez et de la gorge. Les notes de la guitare appellent celles de la sanza. La musique de leur union ouvre des percées sur les sables de nos rêves et colore les feux frais de l'azur matinal.

Né entre les eaux, je suis homme de symétrie.

Droitier de la main, gaucher du pied, je dérègle le rythme des saisons. Mais je veux entendre de mes deux oreilles, voir de mes deux yeux, n'aimer que d'un cœur.

Yéhé, héhé, yéhé, héhé, yé...

Au sommet des pics, je n'ai pas frissonné, moi qui venais de la vallée. Je me suis même agenouillé et j'ai chanté hosanna ! psalmodiant mon amour de la neige.

Ce n'était pas parjure, mais refus de feindre.

Pourtant, dès que les anges embouchèrent les trompettes d'or, j'entendis le son du balafon. C'est que j'avais, Dieu merci ! pris soin de semer mes graviers. Au milieu de l'harmattan, j'ai retrouvé sans peine le chemin de l'allée des rôniers. Qui a connu le silence envoûtant du fleuve couleur de thé n'en sait perdre la saveur. J'ai donné mes veines à ses flots et le balancier de ma poitrine bat en écho du fracas des eaux sur les rocs du Djoué.

Il faut beaucoup de fantaisie et un grain de folie pour retrouver le sens de cette histoire. Sans ce dérèglement rythmé, tu n'atteindras jamais le chemin de mon éblouissement.

Yéhé, héhé, yéhé, héhé, yé...

Tourne encore quelques pages, va, va, va...

J'ai appris par les journaux la mort du docteur Leclerc. Vouragan m'a confirmé la nouvelle dans une lettre où il faisait une démarche en faveur de Fleur qui, désespérée de ne recevoir aucun signe de moi, lui a dévoilé notre relation. Il en appelait à ma générosité. Elle avait besoin de moi.

Son père était mort subitement.

La journée avait été surchargée : une épidémie de mauvaise grippe qu'on n'attendait plus en cette saison. À table, le soir, son épouse l'avait trouvé anormalement abattu et éprouvé. Il aurait dit que ce n'était rien, que ça passerait et prétexté une banale contrariété, une nouvelle inattendue : peut-être la feuille d'impôts... Sa femme l'aurait entraîné au cinéma pour lui changer les idées.

La nuit fut agitée : Mme Leclerc a entendu son mari remuer et rêver tout haut. Il se débattait et semblait étouffer. Il prononçait des mots incompréhensibles. Comme s'il parlait une autre langue.

Des détails obtenus depuis lors, il semble que l'événement se soit produit la nuit qui a suivi notre rencontre. Quand un confrère est arrivé, ce fut pour constater l'irrémédiable.

Dans sa lettre, Vouragan en appelait à la morale, me rappelant par un proverbe que citait souvent Ngantsiala ce qu'était un père ; je n'avais pas le droit de laisser souffrir ainsi une enfant qui venait d'être frappée par le malheur. Il fallait toujours apporter son appui à celles qui ont eu la bonté de vous entrouvrir leur sanctuaire. Il citait un proverbe gangoulou que le vieux Ngantsiala aimait à répéter, puis se proposait, si j'avais des difficultés, de payer mon voyage.

Suivait une longue digression sur Mme de Vannessieux qui voulait un enfant de lui.

Mon deuxième voyage à Nantes remonte maintenant à plus d'un an.

Tout à l'heure, en passant le contrôle à l'aéroport de Maya-maya, le policier a examiné mon passeport avec plus de soin qu'il n'en a pris pour les autres. Bourru, il semblait sous l'effet d'une contrariété. Il m'a pris pour un étranger. J'aurais dû lui parler en lingala, mais il l'aurait peut-être mal reçu.

Je baisse la vitre du taxi, et un air humide rempli d'odeurs que je ne sais plus reconnaître me gifle de plein fouet. On dirait qu'il a plu quelques gouttes, la nuit avant notre atterrissage.

Au passage à niveau, un peu avant la forêt de la Patte-d'oie, un margouillat faisait des pompes sur une racine d'arbre qui s'enfonçait dans la terre. Il s'est arrêté, a regardé la voiture et s'est sauvé dans les grandes herbes.

Par endroits, la chaussée est jonchée de cailloux. Les enfants des quartiers ont dû, hier soir encore, viser les premières mangues des arbres. Je reconnais maintenant leur odeur, et ma salive se sucre déjà de leur jus velouté.

Passé la surprise de mon arrivée, Ngalaha enverra sûrement quelqu'un m'en acheter, pour m'en offrir après un plat de riz et un pondou, cuisinés par elle-même.

Je n'ai pas prévenu de la date exacte de mon arrivée. Dans ma dernière lettre à Joseph et à maman, j'expliquais que, malgré mes recherches, je n'avais retrouvé aucune trace de César Leclerc ; qu'il avait dû sans doute disparaître durant la guerre.

Je leur ai envoyé une photo où Kani se pelotonne contre ma poitrine et rit aux éclats, comme si je venais de la chatouiller.

Elle me rejoindra dès que son divorce sera prononcé.

Le pays de son mari vient de voter non au référendum et j'ai un moment songé à m'y rendre. De nombreux étudiants s'embarquent, en effet, pour aller se mettre au service de la Guinée. Je suis fâché de n'être pas des leurs, mais Kani pense qu'il faut attendre. Non par opportunisme, mais à cause de son mari. Le pays est petit, et l'homme a mal accepté leur rupture. Un jour, à la Cité universitaire, il a fait un esclandre. Il a déclaré, en agitant l'index, qu'il souhaitait que nos routes ne se rencontrent jamais. Kani m'a conseillé de n'en pas rire. Car, dit-elle, il n'est pas question de ma force physique. La famille de ce monsieur, dont les ancêtres vivaient sur la falaise de Bandiagara, compte de redoutables marabouts en son sein.

Le chauffeur klaxonne à chaque occasion. Je ne suis plus habitué à ce réflexe, mais son tintamarre m'enchante. Il joue du volant avec des mouvements d'épaules de danseur tropical. Je lui ai demandé de passer par un magasin portugais pour acheter la dame-jeanne de Nabao de Ngantsiala. Je n'ai pas oublié le chapeau feutre et la paire de chaussures qu'il avait commandés à Suzanne Leclerc.

Demain, ma première visite sera pour le fleuve. Je ne me lasse jamais d'y contempler les jacinthes d'eau, îles déracinées que le courant mène vers les chutes du Djoué. Elles n'existaient pas au temps de notre enfance. Leur origine demeure nimbée de mystère. Une Américaine, prétendent certains, aurait introduit un plant au Congo belge, quelque part sur la rive en amont. Il y a aussi la version des gens bien informés qui se raccrochent à la mémoire et à des témoignages anonymes. En fait, rien de tout cela n'est bien solide. Un peu comme de moi.

Pendant ce temps, elles croissent et se multiplient tant que les navigateurs commencent à s'en alarmer.

Les sommets de certains flamboyants sont déjà parsemés de piments rouges. Dans quelques semaines, ce sera l'embrasement. En passant devant l'ancien hôpital, j'ai reconnu le seul jacaranda du quartier. C'est Joseph qui m'a appris à le reconnaître.

J'ai adressé quelques mots en lingala au chauffeur de taxi qui a ri avant de me répondre avec un accent lari. Il a de nouveau ri et, me regardant dans le rétroviseur, m'a lancé, rayonnant, que, pour un Martiniquais, je ne parlais pas mal la langue-là. La conversation s'est poursuivie en français.

RÉALISATION : I.G.S.-C.P. À L'ISLE-D'ESPAGNAC (16)
IMPRESSION : NOVOPRINT
DÉPÔT LÉGAL : FÉVRIER 2006. N° 84960
IMPRIMÉ EN ESPAGNE

Collection Points

DERNIERS TITRES PARUS

P1355. Lila, Lila, *par Martin Suter*
P1356. Un amour de jeunesse, *par Ann Packer*
P1357. Mirages du Sud, *par Nedim Gürsel*
P1358. Marguerite et les Enragés
par Jean-Claude Lattès et Éric Deschodt
P1359. Los Angeles River, *par Michael Connelly*
P1360. Refus de mémoire, *par Sarah Paretsky*
P1361. Petite Musique de meurtre, *par Laura Lippman*
P1362. Le Cœur sous le rouleau compresseur, *par Howard Buten*
P1363. L'Anniversaire, *par Mouloud Feraoun*
P1364. Passer l'hiver, *par Olivier Adam*
P1365. L'Infamille, *par Christophe Honoré*
P1366. La Douceur, *par Christophe Honoré*
P1367. Des gens du monde, *par Catherine Lépront*
P1368. Vent en rafales, *par Taslima Nasreen*
P1369. Terres de crépuscule, *par J. M. Coetzee*
P1370. Lizka et ses hommes, *par Alexandre Ikonnikov*
P1371. Le Châle, *par Cynthia Ozick*
P1372. L'Affaire du Dahlia noir, *par Steve Hodel*
P1373. Premières Armes, *par Faye Kellerman*
P1374. Onze Jours, *par Donald Harstad*
P1375. Le croque-mort préfère la bière, *par Tim Cockey*
P1376. Le Messie de Stockholm, *par Cynthia Ozick*
P1377. Quand on refuse on dit non, *par Ahmadou Kourouma*
P1378. Une vie française, *par Jean-Paul Dubois*
P1379. Une année sous silence, *par Jean-Paul Dubois*
P1380. La Dernière Leçon, *par Noëlle Châtelet*
P1381. Folle, *par Nelly Arcan*
P1382. La Hache et le Violon, *par Alain Fleischer*
P1383. Vive la sociale !, *par Gérard Mordillat*
P1384. Histoire d'une vie, *par Aharon Appelfeld*
P1385. L'Immortel Bartfuss, *par Aharon Appelfeld*
P1386. Beaux seins, belles fesses, *par Mo Yan*
P1387. Séfarade, *par Antonio Muñoz Molina*
P1388. Le Gentilhomme au pourpoint jaune
par Arturo Pérez Reverte
P1389. Ponton à la dérive, *par Daniel Katz*
P1390. La Fille du directeur de cirque, *par Jostein Gaarder*
P1391. Pelle le Conquérant 3, *par Martin Andersen Nexø*
P1392. Pelle le Conquérant 4, *par Martin Andersen Nexø*
P1393. Soul Circus, *par George P. Pelecanos*

P1394. La Mort au fond du canyon, *par C. J. Box*
P1395. Recherchée, *par Karin Alvtegen*
P1396. Disparitions à la chaîne, *par Åke Smedberg*
P1397. Bardo or not bardo, *par Antoine Volodine*
P1398. La Vingt-septième Ville, *par Jonathan Franzen*
P1399. Pluie, *par Kirsty Gunn*
P1400. La Mort de Carlos Gardel, *par António Lobo Antunes*
P1401. La Meilleure Façon de grandir, *par Meir Shalev*
P1402. Les Plus Beaux Contes zen, *par Henri Brunel*
P1403. Le Sang du monde, *par Catherine Clément*
P1404. Poétique de l'égorgeur, *par Philippe Ségur*
P1405 La Proie des âmes, *par Matt Ruff*
P1406. La Vie invisible, *par Juan Manuel de Prada*
P1407. Qu'elle repose en paix, *par Jonathan Kellerman*
P1408. Le Croque-mort à tombeau ouvert, *par Tim Cockey*
P1409. La Ferme des corps, *par Bill Bass*
P1410. Le Passeport, *par Azouz Begag*
P1411. La station Saint Martin est fermée au public
par Joseph Bialot
P1412. L'Intégration, *par Azouz Begag*
P1413. La Géométrie des sentiments, *par Patrick Roegiers*
P1414. L'Âme du chasseur, *par Deon Meyer*
P1415. La Promenade des délices, *par Mercedes Deambrosis*
P1416. Un après-midi avec Rock Hudson
par Mercedes Deambrosis
P1417. Ne gênez pas le bourreau, *par Alexandra Marinina*
P1418. Verre cassé, *par Alain Mabanckou*
P1419. African Psycho, *par Alain Mabanckou*
P1420. Le Nez sur la vitre, *par Abdelkader Djemaï*
P1421. Gare du Nord, *par Abdelkader Djemaï*
P1422. Le Chercheur d'Afriques, *par Henri Lopes*
P1423. La Rumeur d'Aquitaine, *par Jean Lacouture*
P1425. Un saut dans le vide, *par Ed Dee*
P1426. En l'absence de Blanca, *par Antonio Muñoz Molina*
P1427. La Plus Belle Histoire du bonheur, *collectif*
P1424. Une soirée, *par Anny Duperey*
P1429. Langue natale, *par Chang-rea Lee*
P1430. Suite à l'hôtel Crystal, *par Olivier Rolin*
P1431. Le Bon Serviteur, *par Carmen Posadas*
P1432. Traité de savoir-vivre à l'usage des jeunes Russes
par Gary Shteyngart
P1433. C'est égal, *par Agota Kristof*
P1434. Le Nombril des femmes, *par Dominique Quessada*
P1435. L'Enfant à la luge, *par Chris Mooney*
P1436. Encres de Chine, *par Qiu Xiaolong*
P1437. Enquête de mor(t)alité, *par Gene Riehl*
P1438. Comment c'était, *par Anne Atik*